CALDERÓN Y LA TRAGEDIA

Francisco Ruiz Ramón

Calderón y la tragedia

Alhambra

Primera edición, 1984

© EDITORIAL ALHAMBRA, S. A.
R. E. 182
Madrid-1. Claudio Coello, 76

Delegaciones:

Barcelona-8. Enrique Granados, 61
Bilbao-14. Doctor Albiñana, 12
Granada. Pza. de las Descalzas, 2
La Coruña-5. Pasadizo de Pernas, 13
Madrid-2. Saturnino Calleja, 1
Oviedo-6. Avda. del Cristo, 9
Santa Cruz de Tenerife. General Porlier, 14
Sevilla-12. Reina Mercedes, 35
Valencia-3. Cabillers, 5
Zaragoza-5. Concepción Arenal, 25

México

Editorial Alhambra Mexicana, S. A.
Avda. División del Norte, 2412
03340 México, D. F.

n c 13010210

ISBN 84-205-1018-1

Depósito legal: M.6007-1984

Cubierta: J. A. Hermida
Composición: A. G. Fernández, S. A.
Impresión: Offirgraf, S. A.
Papel: Alborán (Pamesa)
Encuadernación: Gómez Pinto, S. A.

Impreso en España - Printed in Spain

Offirgraf, S. A. - Los Naranjos, 3 - S. Sebastián de los Reyes (Madrid)

ÍNDICE

NOTA PRELIMINAR

Comenzado a escribir este libro en el otoño de 1980 y redactado en su mayor parte durante el año de la celebración del Tercer Centenario calderoniano, varios pasajes fueron primero leídos con ocasión de Simposios, Congresos, Seminarios o Cursos monográficos celebrados en Estados Unidos, España, Alemania y Francia, y alguno publicado en las Actas correspondientes. Asimismo, el capítulo 3 de la Primera Parte figura con escasos cambios como introducción a mi edición de *La cisma de Inglaterra* (Madrid, 1981). Las páginas dedicadas a la *Tragedia de la Casa de David* son una versión ampliada y corregida de otras dedicadas a *Los cabellos de Absalón,* en *Estudios sobre teatro español clásico y contemporáneo* (Madrid, 1978), en donde se recogieron las lecciones de dos cursos universitarios que tuve el honor de dar en la sede de la Fundación Juan March, en febrero y noviembre de 1977. A todos cuantos me honraron con su generosa invitación a participar en la Celebración del Tercer Centenario de Calderón quiero manifestarles, de nuevo, mi profundo agradecimiento. Igualmente doy las gracias a la generosidad de mis editores en Castalia, Cátedra y Fundación March. También quiero testimoniar mi agradecimiento al Decano de la Facultad de Humanidades y a mis colegas del *Center for Humanistic Studies* de Purdue University por la Beca de Investigación que generosamente me concedieron en el semestre de primavera de 1982, la cual me permitió, libre de clases y otras responsabilidades académicas, completar mi libro. Finalmente, quiero dar las gracias a la señora Lizette Bisot de Colucci que pasó a máquina el manuscrito con su habitual eficiencia.

Purdue University, noviembre 1982.

INTRODUCCIÓN

Dos son los modelos de tragedia de Calderón que, pareciéndome centrales para la expresión de su visión trágica del hombre y su mundo, elegí estudiar en este libro. Uno es el modelo configurado por el conflicto libertad/destino; otro, el de la tragedia de honor. Como piezas representativas de la tragedia de honor decidí considerar sólo las tres de la clásica trilogía: *A secreto agravio, secreta venganza, El médico de su honra* y *El pintor de su deshonra.* Como obras representativas del conflicto trágico libertad/destino seleccioné, en principio, cuatro: *El mayor monstruo del mundo, Los cabellos de Absalón, La cisma de Inglaterra* y *La hija del aire.*

Cronológicamente, estas siete tragedias fueron escritas y representadas a lo largo de casi dos décadas —principios de los 30 a principios de los 50— [1] de profundización y perfeccionamiento de

[1] Uno de los problemas con el que siempre se tropieza al estudiar el teatro del Siglo de Oro es la datación de las obras. Aunque para Calderón contemos con el estudio de H. W. Hilborn. *A cronology of the Plays of don Pedro Calderón de la Barca,* Toronto, 1938, no siempre pueden aceptarse las fechas con absoluta certeza. La imposibilidad, mientras no se encuentren pruebas documentales, de fijar con exactitud las fechas de composición de cada pieza impide estudiar con rigor la génesis y evolución de temas, personajes o situaciones. Para las tragedias mencionadas asumimos, la siguiente datación:

1. *El mayor monstruo del mundo* (hacia 1632-34).
2. *Los cabellos de Absalón* (hacia 1634).
3. *A secreto agravio, secreta venganza* (1635).
4. *El médico de su honra* (1635).
5. *La hija del aire,* I y II (1637-1652).
6. *La cisma de Inglaterra* (1639-1652).
7. *El pintor de su deshonra* (1645-1651).

la dramaturgia y de maduración de la aventura existencial de Calderón. Aunque durante esas dos décadas se produzcan variaciones y reajustes dentro de su sistema dramático, los elementos estructurales de base de su dramaturgia y los elementos fundamentales de su visión trágica del hombre y su mundo son constantes. Por eso pueden rastrearse hacia atrás en el tiempo, en obras tempranas como, por ejemplo, *La devoción de la cruz* (1623-25), donde aparecen combinados ambos modelos, todavía no formalizados dramáticamente. O bien, pueden seguirse hacia adelante, en obras posteriores del ciclo mitológico de la década del 60, como, por ejemplo, en *Apolo y Climene* y *El hijo del sol, Faetón* o *La estatua de Prometeo,* en las que torna una vez más a plasmar —verdadera constelación temática— con riquísima orquestación teatral el conflicto libertad/destino, configurando en el espacio clásico del mito los mismos espacios trágicos —prisión, palacio y campo de batalla— que concentran e integran en idéntica familia a Segismundo, Semíramis, Climene, Prometeo, por citar sólo los más notables.

Precisamente, el análisis comparativo de los tres espacios dramáticos citados me hicieron ver, cuando revisaba el manuscrito de este libro, que *La hija del aire,* aunque vinculada al esquema trágico definido por la circularidad de la acción —se parte del punto A (anunciado) para llegar al punto A' (cumplido)—, esquema presente en *todas* las tragedias del modelo configurado por el conflicto libertad/destino, se separaba de las otras obras elegidas *(El mayor monstruo, Los cabellos...* y *La cisma)* por la construcción del espacio dramático, así como por la situación mítica origen del conflicto trágico. Tanto la construcción del espacio como el núcleo semántico del conflicto la hacían entrar en otro modelo dramatúrgico, cuyo ejemplo máximo, cumbre del entero sistema dramático calderoniano, es *La vida es sueño.*

En *La hija del aire,* en efecto, al igual que en las tragedias del ciclo mitológico o que en *La vida es sueño,* el conflicto libertad/destino, eje semántico de toda la tragedia, pero también elemento axial de su construcción dramática, remite a un conflicto anterior el nacimiento de la heroína, conflicto entre las diosas Venus y Diana, productor de violencia, una violencia primordial anterior a la misma existencia de Semíramis, víctima y no agente, condenada sin culpa a la gruta del comienzo. Semíramis —como Segismundo o como Aquiles *(El monstruo de los jardines)* o como Climene *(Apolo y Climene)*— «embrión de una violencia» [2], remite a un antes de la existencia individual, a una violencia original, significada por la violencia misma del nacimiento. Su grandeza y su estatura de personaje trágico nace, precisamente, de su desafío a todas las fuerzas oscuras que la encadenan a su gruta, y contra las cuales se rebela desde el centro mismo de su desesperada libertad. Pero ni su conciencia en carne viva de la libertad, que es conciencia misma de ser, ni su razón, que se opone a la violencia en el origen, fundada en su capacidad de controlarla, bastan para sacarla de su prisión. Para liberarla de su encerramiento, hacen falta *los otros.* Los otros —Menón, Nino—, apenas entran en contacto con Semíramis, empiezan a segregar violencia, la cual, por ellos, se instala en el mundo. Liberadores de Semíramis, liberan la violencia, repitiendo así la original experiencia de la división, y actuando al servicio de un Destino que sólo se cumple en la libertad y por la libertad. Libertad que, como en *La vida es sueño,* va ligada a otro tema fundamental en Calderón: el Poder.

La segunda parte de *La hija del aire* comienza con un acto de violencia —la guerra— y termina con idéntico acto de violencia: otra, o la misma, guerra. Entre ambos actos de violencia se despliega el gran drama del Poder, para cuya representación Calderón utiliza el tema mítico del Doble, encarnado en Semíramis-Ninias (y en los hermanos Licas y Friso), cuya leyenda interpreta con mayor profundidad que sus predecesores [3]. Renunciando a las fáciles y enormemente teatrales connotaciones del erotismo —casi furor uterino—, asignados tradicionalmente a Semíramis (así lo hizo, entre otros, Virués unos sesenta años antes en *La gran Semíramis),* Calderón concentra todo el erotismo de Semíramis en su relación misma con el Poder, su único amante, su único dios. Pero ese dios, como el dios Jano que preside todo el teatro trágico calderoniano, es un dios de dos caras, luminosa una, oscura la otra, dos caras que se afirman negándose mutuamente. Es esa historia de la dialéctica trágica del Poder, que sólo se afirma por la negación, la que Calderón espacializa en la segunda parte de *La hija del aire,* como antes lo hiciera, aunque con distinto final escé-

[2] En *El monstruo de los jardines,* comienzo del acto II. Vid. edición de A. Valbuena Briones: Calderón de la Barça, *Obras Completas,* I, Madrid, Aguilar, 1959 [4], p. 1791.

[3] Sobre la leyenda de Semíramis y sus avatares, vid. la introducción de Gwynne Edwards a su edición de *La hija del aire,* London, 1970.

nico, en *La vida es sueño* o lo repitiera transpuesto a un universo mítico en los dramas de la década del 60.

La estructura de espacio y conflicto en *La hija del aire,* que la sitúan plenamente en la misma constelación temática a la que pertenece *La vida es sueño,* me decidieron a sacar de este libro el capítulo que le dedicaba, reservándolo para otro estudio sobre *La vida es sueño,* en el que espero poder abordar ese incesante y complejo proceso de resemantización teatral, de lo que habría que nombrar mito y metáfora obsesivas y recurrentes del Calderón dramaturgo. El tema merecía mucho más que una tercera parte de este libro, y mayor tiempo y estudio, puesto que, como todo lector de Calderón concederá gustosamente, es *el* tema por excelencia de su vasto y complejísimo universo dramático.

El presente libro no es, por tanto, un estudio exhaustivo ni de *la* tragedia calderoniana —pues sólo me ocupo de dos de sus modelos— ni de *las* tragedias calderonianas, puesto que concentro la atención tan sólo en seis de ellas. Mi ilusión es que, unido a otros trabajos anteriores o posteriores de otros investigadores, ayude en su día a establecer lo que sólo de modo muy parcial existe: una *poética* de la tragedia calderoniana.

Con la esperanza —no sé si presuntuosa: el lector juzgará— de contribuir a ella, me decidí a cerrar el libro con un *Sumario.* Sumario, en efecto, y no conclusión, porque lo que he pretendido hacer en esas páginas últimas es agrupar compactamente aquellas ideas o, a lo menos, vislumbres, que, repartidas y reiteradas a lo largo de los análisis dedicados a cada una de las tragedias estudiadas, constituyen lo que pudiera llamar los puntos clave o los hitos de la trama o argumento global de este estudio, que, a su vez, pudiera servir de introducción a una posible *poética* de la tragedia calderoniana. Al mismo tiempo, esas páginas finales quieren ser también algo así como una transcripción abreviada, y como un resumen temático, que sirvan de extracto y condensado de todo el libro.

* * *

Éste —¿por qué no confesarlo?— ha sido escrito con la intención de oponerse a los distintos estereotipos de Calderón, que, por desgracia para la historia contemporánea del teatro clásico español, dominan las actitudes mentales y los ideologemas culturales de buen número de españoles o, mejor, de hispanos de ambos mundos, y de no pocos de sus críticos, y se reflejan en los medios teatrales. Son los esterotipos de un Calderón dogmático, monolítico, ideólogo de la Contrarreforma, defensor de todos los credos en el poder, monstruo, no de naturaleza, sino de Kultura —con K—, intocable, intratable, hecho estatua de sí mismo y cifra de una España muerta, aunque no enterrada. Estereotipos que, a su vez, son el reflejo ideológico de una visión congelada y congeladora del Barroco español, hoy, felizmente para la historia intelectual española, puesta en cuestión. Precisamente, cuando en la reciente historiografía del XVII pugna por abrirse paso una distinta percepción de sus contradictorias entrañas y de sus corrientes anticonformistas o reformistas, y se encuentran historiadores —de Jean Vilar a J. A. Maravall, de Joseph Perez o J. H. Elliot a Domínguez Ortiz [4]— empeñados en una renovadora problematización del siglo XVII español, pienso que es urgente y necesario tratar de sustituir la imagen cerrada del «Calderón dramaturgo de la Contrarreforma española» por la imagen abierta de un Calderón dramaturgo *español* del teatro clásico europeo, al que pertenecen las dramaturgias del *inglés* Shakespeare y el *francés* Corneille, herederos los tres de los griegos, los romanos y la Biblia, pasados por la redoma del humanismo cristiano. Como Shakespeare y como Corneille, Calderón es, desde su espacio histórico español, *un hombre de Europa* [5], consciente, a la vez, de los valores y de la

[4] Jean Vilar, *Literatura y economía. La figura satírica del arbitrista en el Siglo de Oro,* Madrid, 1973; José Antonio Maravall, *Estado moderno y mentalidad social* (2 vols.), Madrid, 1972, y *La oposición política bajo los Austrias,* Barcelona, 1972. Joseph Perez, *L'Espagne du XVIe siecle,* París, 1973; J H. Elliot, *La España imperial, 1469-1716,* Barcelona, 1965, y *La rebelión de los catalanes (1598-1640),* Madrid, 1977; A. Domínguez Ortiz, *Política y hacienda de Felipe IV,* Madrid, 1960, *Crisis y decadencia de la España de los Austrias,* Madrid, 1971, y *Alteraciones andaluzas,* Madrid, 1973. Vid. también, en la *Historia de España,* dirigida por Manuel Tuñón de Lara, el reciente tomo V: *La frustración de un Imperio* (1476-1714), Barcelona, 1982, en donde colaboran Jean-Paul Le Flem, Joseph Perez, Jean-Marc Pelorson, José M. López Piñero y Janine Fayard.

[5] La expresión es del historiador español José Alcalá-Zamora y Queipo de Llano. Vid. su importante artículo sobre Calderón: «Despotismo, libertad política y rebelión popular en el pensamiento calderoniano de *La vida es sueño*», *Cuadernos de Investigación Histórica,* 2, 1978, pp. 39-113. La cita en página 41.

crisis de los valores de su época, así como de la grandeza y la miseria de su tiempo y su patria.

La lectura de los textos dramáticos de *ese* Calderón, testigo lúcido de *ese* tiempo y *ese* espacio del XVII, porta, como el cometa su cauda, todos los riesgos consustanciales, y por lo tanto inescapables, a la lectura de todo texto que reúne en sí el doble estatuto de texto *teatral* y texto *clásico*. Su especificidad de texto teatral obliga a leerlo teniendo siempre en cuenta su constitutiva dialéctica de polaridades entre texto // representación, por una parte, y protagonistas (de texto y representación)[6] // espectadores, por otra.

Su condición de texto clásico, que nos llega, desde su pasado a nuestro presente, cargado de una compleja historia semántica, exige un específico método de lectura que presupone, como escribe Hans Robert Jauss,

> una concepción de la obra que engloba a la vez el *texto* como estructura dada (el *artefacto* como signo) y su *recepción* o percepción por el lector o el espectador (el objeto estético como correlativo del sujeto o sujetos que lo perciben)[7].

La lectura de un texto teatral clásico plantea en el fondo, aunque a distinto nivel y en distinta clave, los mismos problemas, analógicamente hablando, que su adaptación para ser montado y representado en un escenario actual. Por razón de su inescapable condición de texto teatral, el texto clásico tiene que ser representado en un espacio concreto por actores —lógicamente contemporáneos— ante un público igualmente contemporáneo al acto de representación. La necesidad de la adaptación surge de la distancia histórica, con todo su séquito de variaciones del sistema social, político, ideológico, cultural, estético, lingüístico..., etc., entre el mundo del autor y el texto y el mundo del actor y el espectador, distancia que debe de ser —y que, de hecho, lo es —a la vez negada y afirmada, suprimida y mantenida. Es en esta paradoja donde radica el verdadero problema y la verdadera dificultad de la adaptación (lectura) del texto clásico teatral.

---

[6] Vid. Pavel Campeana, «Un rôle secondaire: le spectateur», en *Semiologie de la représéntation*, Bruxelles, 1975, p. 99. Para la relación texto/representación/espectador, vid. Anne Ubersfeld, *Lire le théâtre*, París, 1977, páginas 13-57, y *L'école du spectateur. Lire le théâtre 2*, París, 1981.

[7] H. R. Jauss, *Pour une esthétique de la recépcion*, París, 1978, p. 212.

Adaptar, en efecto, un texto clásico no consiste en negar uno de los dos polos de la ecuación «mundo de ayer» // «mundo de hoy», afirmando el otro, pues el resultado sería siempre una mala o falsa adaptación, infiel al mundo de ayer o infiel al mundo de hoy, con lo que, a la postre, o traicionaríamos al clásico o traicionaríamos a nuestros contemporáneos, cosas tan indeseables la una como la otra, e igualmente estériles y gratuitas ambas, además de insatisfactorias. La adaptación debe, por el contrario, tender a provocar una intensa, rica y profunda comunicación entre el clásico y el contemporáneo, lo cual sólo puede suceder cuando no se ignora a ninguno de los dos.

En realidad, todo montaje o representación de un texto teatral clásico, aunque no se cambie ni una sola palabra de él, es ya virtualmente un acto de adaptación tanto del que hace y dice en la escena como del que ve y oye en la sala, pues tanto los unos —los hombres de teatro— como los otros —los espectadores— tienen que pasar, constantemente, de un sistema de representación del mundo —el del texto— a otro sistema de representación del mundo —el del colectivo «hombre de teatro» y el colectivo «espectador». Sin esa adaptación automática o conscientemente medida y controlada, difícilmente puede haber profunda, rica y auténtica comunicación entre ambos. Para que el texto clásico representado sea comunicado por el nuevo «emisor» que es el hombre de teatro al nuevo receptor que es el público, es absolutamente inescapable la operación, delicadísima y compleja, de la adaptación —implícita o explícita—, mediante la cual el *allí* y el *aquí* del texto clásico quedan dialécticamente enchufados, condición *sine qua non* para la que la corriente pase.

Aunque nunca apliquemos el vocablo «adaptar» o «adaptación» al acto de lectura del texto clásico, también la complejísima operación de leer, en este caso, un texto teatral clásico implica, en el fondo, la operación de «adaptar» el sistema —y no sólo el lingüístico, sino el de la totalidad de los signos— del texto leído al sistema del lector. Incluso el lector mejor pertrechado de erudición histórica, capaz de situar con rigor el texto en su contexto original, difícilmente podrá leerlo en el *propio* contexto del texto, pues dicho contexto no existe en sí más que como producto de interpretación, es decir, como objeto intelectual elaborado. Y aun en el caso ideal de una absoluta inmersión en el contexto y de una total identificación con él, seguiría en pie el problema del *sentido* del texto, el cual nunca deriva sólo de su contexto.

Parejamente, editar un clásico exige la más rigurosa fidelidad a la letra del texto, pero también, si se trata de una edición crítica, un aparato desplegado en las notas al texto, encaminado a hacer máximamente inteligible el texto editado, inteligibilidad que trata de completarse en los estudios introductorios. Tanto éstos como las notas tienen, si bien se mira, la misma función arriba expresada de «adaptar» el sistema global del texto editado al sistema del lector contemporáneo.

Tanto el adaptador, que «edita» el texto para la escena, como el encargado de su edición en libro, como el lector, coinciden, desde la raíz que los une —ser conciencias receptoras— en la experiencia de la lectura crítica, la cual exige varias operaciones intelectuales correspondientes a las varias fases que van desde la descodificación del sistema total y de la estructura dramática del texto hasta su recodificación escénica, cuyo resultado final es la representación, forma última y más perfecta de la lectura del texto teatral. Es en esa doble operación de descodificación y de recodificación en donde se conecta o enchufa dialécticamente el «allí» y el «aquí», el significado pasado y el sentido presente del texto clásico.

Estos son, sumariamente, los supuestos de donde dimanan algunos de los principios metodológicos [8] que han guiado mi lectura de las tragedias de Calderón, lectura —¿será necesario recalcarlo?— imposible sin el diálogo previo con otras lecturas críticas, pero de cuyas deficiencias soy único responsable.

Me daría por muy satisfecho si este libro ayudara a leer y, sobre todo, a hacer ver —*ver en los escenarios*— a Calderón, como los ingleses *leen y ven* a Shakespeare y los franceses a Corneille y a Racine: como un dramaturgo vivo, problemático, contradictorio, bellísimo, imprevisible, capaz de sorprendernos y de enriquecernos con su visión de la condición humana.

[8] Formulados en mi libro *Estudios sobre teatro español clásico y contemporáneo,* Madrid, 1978, pp. 17-43.

I. DIALÉCTICA DE LA CIRCULARIDAD: LIBERTAD/DESTINO

Las tres tragedias estudiadas a continuación presentan un elemento estructural común, el Hado, cuyas formas de explicitación dramática son el horóscopo, la profecía o el sueño. Mediante éstos queda establecido, desde el principio, el orden de la acción dramática, la cual consiste en el desarrollo, por medio de las peripecias, del Hado anunciado. Predicado desde el inicio, generalmente en la primera o primeras escenas, *lo que* va a suceder, el dramaturgo concentra su trabajo de construcción dramática en *cómo* va a suceder. Ese desplazamiento del acento estructural del *qué* al *cómo* aproxima la dramaturgia calderoniana a la dramaturgia típica de la tragedia griega clásica, en donde también, como es bien sabido, el acento estructural recae en el *cómo,* y no en el *qué,* el cual, dados los materiales con los que operaba el trágico griego, era conocido por el espectador. Lo realmente importante, desde el punto de vista de construcción del drama, era el sistema de relaciones dialécticas que el dramaturgo establecía entre el *qué* y el *cómo,* y, naturalmente, saltando al plano semántico, las significaciones últimas que de esas relaciones dimanaban.

Covarrubias en su *Tesoro* escribía del Hado: «En rigor no es otro que la voluntad de Dios, y lo que está determinado en su eternidad, *latine fatum.*» Prescindiendo aquí de la interpretación o acomodación cristiana del *Fatum,* lo que define a éste podemos deducirlo sin esfuerzo de otras definiciones posteriores, donde, como es lógico, sigue apareciendo la connotación cristiana, pero de donde no se ha eliminado su nota fundamental. Así, por ejemplo, en el *Diccionario de Autoridades* encontramos estas dos acepciones: 1. «Orden inevitable de las cosas; pero considerado bien, no es otra cosa que la voluntad de Dios, y lo que está determinado sucederá a cada uno.» 2. «Orden de las causas naturales, que son regidas por Dios Nuestro Señor.»

Y en la última edición del *Diccionario de la Real Academia* encontramos, entre otras, estas tres acepciones: 1. «Divinidad o fuerza desconocida que, según los gentiles, obraba irresistiblemente sobre las demás divinidades y sobre los hombres y sucesos.» 2. «Encadenamiento fatal de los sucesos...» 5. «Serie y orden de causas tan encadenadas unas con otras, que necesariamente producen su efecto.» Lo que me interesa que retengamos es esa constante noción en el *fatum* de «orden inevitable» y de «encadenamiento fatal» [1], no porque piense yo que Calderón piensa o cree en la inevitabilidad o la fatalidad del Hado, lo cual sería a todas luces absurdo, por antihistórico, pensarlo, sino porque esa doble connotación constante en la noción del *fatum* o *hado* está presente, con valor de elemento estructurante, en la construcción de la acción dramática de todas las tragedias calderonianas. En este sentido *—de composición, no de significado—*, el Hado es el más básico y más importante elemento de la estructura dramática típica del Calderón trágico.

El Hado, en tanto que elemento estructurante de la acción, produce dos efectos casi automáticos: circularidad y suspense. Se parte del punto A, anunciado en el horóscopo, la profecía o el sueño, formas de explicitación o manifestación dramáticas del Hado, como ya indiqué antes, para volver al punto A'. Al mismo tiempo que el Hado produce este efecto de circularidad de la acción, produce también, como todo augurio literario, el efecto estético de concentrar la acción en un punto del futuro, con el consiguiente incremento del suspense, a la vez que, en estrecha correlación con la circularidad, hace más apretada y tensa la estructura. Mediante la explicitación del Hado, la dirección del destino, y consecuentemente de la acción, es dada o sugerida de antemano, creando así la expectación de cómo aquél se cumplirá.

Otra de las consecuencias inmediatas de la presencia del Hado

[1] Para una breve antología de definiciones del *hado* en la literatura española de los siglos XV al XVII vid. Otis H. Green, *España y la tradición occidental,* tomo II, Madrid, 1969, pp. 311-376. Vid. también Alfredo Hermenegildo, *Los trágicos españoles del siglo XVI,* Madrid, 1961, pp. 483-486, y *La tragedia en el Renacimiento español,* Barcelona, 1973, pp. 481-484.

como elemento estructural es la de producir, casi automáticamente, el carácter bipolar de la acción dramática. En efecto, el conflicto se estructura mediante la relación de oposición entre necesidad y libertad, siendo así los personajes responsables del curso de la acción, la cual depende de la interpretación que cada uno de ellos da al contenido del Hado, interpretación estribada, en cada instancia concreta, en el correspondiente sistema de bipolaridades que define al personaje, el cual está dirigido por una fuerza rectora —ambición, soberbia, pasión amorosa— que le imprime carácter, constituyéndose en fuerza generadora de todas sus acciones, a la vez que en fuente del error de juicio que conducirá al cumplimiento del Hado.

Por virtud de esa doble oposición —necesidad/libertad y razón/pasión— que el Hado introduce en el plano de la acción y en el plano de los caracteres, el dramaturgo introduce también, con extraordinaria economía dramática, el sentido de la trascendencia como raíz de la visión trágica de la condición humana, libre pero limitada por su propia menesterosidad, que el drama da a ver.

Las acciones individuales, disparadas en distintas y conflictivas direcciones, a partir del momento clave de la elección que cada personaje hace, como consecuencia de su particular interpretación del Hado, son configuradas dramáticamente mediante peripecias múltiples, dialécticamente entrelazadas, formando un proceso único que aboca en el desenlace trágico. Cada personaje, disparado hacia una meta A, llega necesariamente, por la lógica de la acción emprendida, a no-A, meta ya incluida desde el principio en el contenido del Hado [2]. Llegado a ese momento final de la peripecia, se produce, por parte del personaje, la agnición, la cual no es sino el descubrimiento de la irreversibilidad de la meta no-A, a la que a sí mismo se condujo pensando evitarla.

Si el Hado es, en el plano de la estructura, el principio unificante de las peripecias, en el plano de la significación lo es la ironía trágica, que se constituye en fundamento semántico de la unidad de acción, pues en virtud de ella cada peripecia es factor y función del sistema global de significación de la acción trágica.

---

[2] Vid. F. L. Lucas, *Tragedy. Serious Drama in Relation to Aristotle's Poetics,* New York, 1965 [2].

1. La tragedia de Herodes y Mariene

En 1881, con ocasión de la celebración del II Centenario de la muerte de Calderón, Menéndez Pelayo, en la sexta de sus conferencias sobre el dramaturgo, señalaba, como un defecto de construcción de *El mayor monstruo del mundo,* lo que él llamaba la «doble fatalidad», que, a su juicio, rompía innecesariamente la unidad de la acción trágica. Veía concentradas las bellezas del drama en el carácter de Herodes, mientras que en la fatalidad asignada al puñal con el que matará accidentalmente a su mujer veía algo inútil, innecesario e, incluso, pueril. Para el ilustre polígrafo, el interés del drama consiste en el carácter del Tetrarca, que —añadía—,

> a diferencia de otros personajes de Calderón, es de todas veras un carácter, aunque un poco fuera de los límites de la realidad [3].

El error de lectura de don Marcelino estaba, a mi juicio, en que, estribado en una concepción realista-psicologista del drama, interpretaba como fatalidad doble, es decir, como dos elementos separados —uno necesario, otro innecesario— lo que, en realidad, constituye la unidad de la acción trágica, unidad fundada en la antinomia entre libertad y destino, núcleo de la construcción y del sentido del drama calderoniano.

En 1973, el profesor Alexander A. Parker, situándose en la perspectiva correcta para entender la condición antinómica de la realidad trágica y, consecuentemente, la unidad de la acción trágica calderoniana, concluía su estudio sobre la «predicción» en *El mayor monstruo del mundo,* haciendo esta importante afirmación:

> Its dramatic function is thus to clarify, through the interaction of will and chance, both the responsibility of the characters for their fate and the tragic irony of human life. The prediction points to the thread through the labyrinth which is fate. This is not a blind and implacably hostile force but a meaninful pattern in the universe, that of guilt and expiation. By knowing himself, a man can know the fate that nature portends for him. The Tetrarch's self-knowledge comes too late; he does not understand the meaning

[3] *Calderón y su teatro,* en *Estudios y discursos de crítica histórica y literaria,* Madrid, 1941, III, p. 253.

> of the prophecy because he does not realize what it is he has to control. Thus at the beginning of the play he throws into the sea the potential instrument of violence, but at the end he realizes that the violence is within him, and that he cannot destroy it unless he destroys himself [4].

Inscritas sus acciones en un orden temporal que no controla, el héroe trágico, aunque responsable de sus actos, terminará siendo la víctima de su propia acción. En el momento mismo en que elige hacer lo que hace, empieza a obrar lo contrario de lo que pretendía obrar. Como espero poder mostrar, a la ambigüedad radical de la acción humana se une la ambigüedad del agente trágico, que, dividido entre dos direcciones, es, simultáneamente, responsable de sus actos, en tanto que expresión de un carácter de hombre, y víctima de un destino que, interiorizado, parece estar inscrito en la misma raíz de su carácter de hombre. Conocerse es descubrir en sí mismo la identidad trágica de *ethos* y *daimon,* es decir, los dos órdenes de realidad en los que se enraizaba en el héroe trágico griego la decisión trágica [5].

Examinemos las etapas del proceso trágico tal como Calderón las configura en *El mayor monstruo del mundo.*

1. La ambigüedad del vaticinio: su aparente dualidad

La acción comienza con un canto lírico de invocación a la naturaleza para consolar y divertir la tristeza de Mariene. En medio

[4] «Su función dramática es la de clarificar, mediante la interacción de la voluntad y el azar, tanto la responsabilidad de los personajes por su destino como la trágica ironía de la vida humana. La predicción apunta a ese hilo a través del laberinto que es el destino. Éste no es una fuerza implacable y hostil, sino el componente de un plan lleno de sentido en el universo: el de culpa y expiación. El conocerse a sí mismo le llega demasiado tarde al Tetrarca; no entiende el significado de la profecía porque no se da cuenta de qué es lo que debe controlar. Así, al principio de la pieza arroja al mar el mortal instrumento de violencia, pero sólo al final entiende que la violencia está dentro de él, y que no puede destruirla a menos de destruirse a sí mismo.» Cf. «Prediction and its dramatic function in *El mayor monstruo, los celos*», *Studies in Spanish Literature of the Golden Age. Presented to Edward M. Wilson,* ed. R. O. Jones, Londres, 1973, p. 192.

[5] Vid. los fascinantes trabajos de Jean-Pierre Vermont y Pierre Vidal-Nanquet reunidos en su libro *Mythe et tragèdie en Grèce ancienne,* París, 1973, p. 68, con quienes, desde ahora, declaramos nuestra deuda.

del bellísimo vergel que refleja simbólicamente la belleza de la Reina de Jerusalén, divino sol que amanece entre las fuentes, flores y aves creadas por el decorado verbal de la canción, domina la nota discordante de la tristeza, la cual provoca la cadena de interrogaciones del Tetrarca, y propone el primer enigma, que será despejado en seguida mediante la introducción de un mayor enigma: el vaticinio.

Las interrogaciones del Tetrarca introducen tres temas que correrán interdependientes y que se fusionarán en uno sólo a medida que progrese la acción dramática: la ambición de poder, el amor y los celos.

Herodes proyecta coronarse emperador en Roma. Para ello pacta secretamente con Antonio, ayudándole en la guerra contra Octaviano, no para que triunfe, sino para prolongar la contienda, dando ocasión a que mutuamente se destruyan, y así levantarse con el trono de Roma.

Quiere coronarse para coronar reina del mundo a Mariene, como homenaje de su amor.

Finalmente, los desvelos de la esposa, su inexplicable tristeza, ocasionan sus celos. Celos sin objeto concreto, sin concreta causa, celos puros de aquello, todavía innombrado, que roba la alegría de su esposa, de aquello que, *no siendo él,* la altera y entristece.

Celos, amor y ambición son signos trillizos de la pasión, absoluta y sin límites, que constituirá como personaje al Tetrarca, y que, dándole toda su grandeza humana, porta en sí misma la semilla de la destrucción.

Para responder a las doloridas interrogaciones de Herodes, pagándole con amor de igual calidad, Mariene decide revelar lo que nunca pensó decir: la causa de la pena que le aflige. Pero antes de revelar la causa que ha producido su tristeza, describe las circunstancias —y éstas son importantes como arranque de toda la acción— que motivaron su decisión de acudir a un astrólogo:

Yo, que mujer nací (y con esto digo
amiga de saber), docto testigo
le hice de tu fortuna y mi fortuna;
que viendo cuánto al monte de la luna
hoy elevas la frente
quise antever el fin (I, 452)[6].

[6] Cito por mi edición: *Tragedias-1,* Madrid, Alianza Editorial, 1967. El nú-

Estas palabras no tienen desperdicio y no deben pasarse por alto. Tres elementos son importantes. En primer lugar, la afirmación que Mariene hace de sí misma, al declararse «amiga de saber», por debajo de su apariencia tópica (mujer=curiosidad) encierra una profunda verdad en donde se particulariza uno de los rasgos definitorios del personaje, rasgo esencial de su carácter que, más tarde, en un momento decisivo de la acción en la que arranca de manos de Filipo un papel que no debe leer, producirá una de las *peripecias* mayores —en el sentido técnico que Aristóteles y sus comentaristas asignan al vocablo— que determinará el curso trágico de la acción. En segundo lugar, enlaza la fortuna del Tetrarca y la suya propia, anteponiendo significativamente la del marido, estableciendo así una relación de dependencia de la una con respecto a la otra. Por último, la razón que motiva querer «antever el fin» es la misma ambición política de Herodes que, contra toda prudencia, piensa, siendo idumeo y no ciudadano romano, y siendo vasallo del Imperio, coronarse emperador de los romanos, mediante lo que él mismo califica de «falso trato y doble estilo» (I, 450). La fortuna de ambos estriba, según el planteamiento expreso, en el éxito o fracaso de la gestión política del Tetrarca.

El vaticinio del astrólogo nada aclara, sin embargo, al respecto, aunque la acción subsiguiente se encargará por sí sola de aclararlo. El vaticinio, como todo vaticinio dramático desde el modelo de la tragedia griega, y en esto Calderón nunca se aleja de las fuentes, es constitutivamente ambiguo [7]. Su lenguaje es siempre enigmático y porta en sí un doble sentido, y la verdad que esconde es formulada en palabras que parecen decir otra cosa de la que dicen para quien las interpreta. Interpretación, por otra parte, nunca gratuita o arbitraria, sino determinada por o fundada en la situación, la condición o el carácter de quien interpreta, no estando, por lo tanto, ausentes ni el deseo ni la imaginación del hombre, el cual *produce* el sentido de acuerdo con sus más profundas —conscientes o subconscientes— voliciones.

---

mero romano indica el acto, y el árabe la página. Mientras no indique lo contrario, todas las citas remiten a esa edición.

[7] Dentro del inmenso bosque bibliográfico sobre el tema, son especialmente útiles los siguientes estudios: William Chase Greene, *Moira. Fate, Good, and Evil in Greek Thought,* New York, 1963; Bernard Knox, *Oedipus at Thebes. Sophocles' Tragic Hero and His time,* New York, 1971; Jean Pierre Vermont, ob. cit., pp. 99-131.

En palabras de Mariene, de las que suprimo sus propios comentarios, lo que el astrólogo halló es:

> *que sería*
> *infausto triunfo yo*
> *de un monstruo el más cruel, horrible y fuerte*
> *del mundo; y en ti halló que daría muerte*
> *ese puñal que ahora traes ceñido*
> *a lo que más en este mundo amares* (I, 453).

Aparentemente, el vaticinio parece tener un contenido doble: de un lado, un monstruo —retengamos, al paso, el también doble contenido del vocablo en el Barroco— dará muerte a Mariene; de otro, el puñal de Herodes matará a lo que más ama. Ese centáurico estatuto del lenguaje del vaticinio no supone necesariamente la existencia de una «doble fatalidad», como de modo precipitado infería Menéndez Pelayo, pues no predica literalmente, o mejor, objetivamente, una doble causalidad, sino que tan sólo identifica un solo agente —monstruo— y un solo instrumento —puñal. El vaticinio se limita, y en ello no miente, a subrayar el agente, enigmáticamente definido, y el instrumento, clarísimamente especificado. Lo que ya no revela el vaticinio es la relación concreta entre el agente y el instrumento. Es, precisamente, esa doble relación la que debe ser descubierta mediante la correcta interpretación del vaticinio. Y es en esa interpretación donde cabe el error o el acierto, los cuales sólo son imputables a Herodes y Mariene.

Ahora bien, la interpretación del vaticinio compromete tanto la parte racional como la irracional del ser humano, y está enraizada en la dimensión temporal del sujeto que interpreta, en un aquí y un ahora, y no cabe interpretarla intemporalmente. Toda interpretación supone, según apunté antes, una situación concreta desde la que se interpreta y un carácter —un *ethos*— que define al sujeto que, al interpretar, descodifica el mensaje. Herodes y Mariene van, en efecto, a interpretar el vaticinio desde una precisa situación y desde un carácter peculiar, dados ya el uno como la otra. El problema está en que *el presente* —situación y carácter— desde el que interpretan el vaticinio no es en absoluto *el futuro* al que el vaticinio se refiere. Interpretar el futuro en los términos del presente, que son los únicos que tienen a su disposición, entraña necesariamente la posibilidad del error, dada la no identidad de ambos términos. Si el vaticinio se cumple es, precisamente, porque en el futuro se da algo no dado todavía en el presente, algo, por lo tanto, que el intérprete no puede conocer, y, por consiguiente, no puede tener en cuenta en el acto, necesariamente temporal, de interpretar. Es lo que me hizo afirmar al principio que el héroe trágico, aunque responsable de sus acciones, no puede controlar, sin embargo, el orden temporal en que éstas se inscriben. La ambigua dualidad del vaticinio refleja, en buena medida, esa trágica dicotomía de la condición temporal del ser humano.

Con estas ideas en mente, abordemos ahora el problema de la interpretación del vaticinio por parte de la pareja trágica, Herodes y Mariene.

2. Interpretación del vaticinio

Aunque no constituye todavía una interpretación, sino un comentario o reacción emotiva el enigmático contenido del vaticinio, las palabras de Mariene que siguen o se intercalan a la expresión de éste, establecen las bases existenciales de la atmósfera ominosa y el clima de la situación anímica en donde va a enraizarse el acto de interpretarlo. Mariene expresa su invencible temor del fin trágico que a ambos les espera:

> *Pues, trágicos los dos con fin violento,*
> *por ley de nuestros hados*
> *vivimos a desdichas destinados:*
> *tú, porque ese puñal será homicida*
> *de lo que amares; yo, porque mi vida*
> *vendrá a ser con ejemplo sin segundo*
> *trofeo del mayor monstruo del mundo* (I, 453).

Contra ese temor visceral e irreprimible que atenaza, obnubilándola, la potencia racional de la mujer, Herodes opone un discurso racional, lógicamente construido, que rechaza tanto la fatalidad como la irracionalidad que impregnan la actitud de Mariene. La estructura silogística del discurso del hombre es típica de los héroes calderonianos, poseídos por la pasión del orden, caracterizados por su lucidez y rigor mentales, única defensa contra el caos y la confusión que el mal introduce en el mundo y a quien, sin embargo, sucumbirán.

En síntesis, los puntos clave del razonamiento de Herodes son los siguientes:

A) Está bien temer el mal que el vaticinio anuncia, pero no esperarlo, pues llorar las desdichas que todavía no han llegado es convertirlas ya en desdichas, con lo que uno mismo, primero que el cielo, hace su propia desdicha. B) ¿Por qué tenemos que dar crédito a la desdicha anunciada, siendo así que nunca se lo damos a la dicha que se nos anuncia? C) La crueldad prevista o es mentira o es verdad. Descartando que sea mentira, y aceptando que verdad sea, puede argüirse que es ventura el saberla, cuando los demás la ignoran y no pueden ni siquiera prevenirla o precaverse contra ella. Sin embargo, debemos añadir en seguida, la razón que construye argumentativamente el discurso no es una razón abstracta ni descorporeizada, sino personal, fundada o, mejor, arraigada como está en una concepción o visión de la dignidad humana y del destino personal del ser. Herodes, en efecto, como muestra la segunda parte de su discurso, es consciente, no sólo del valor de la razón y de la libertad humana, sino también de la inseguridad radical de toda vida, la suya la primera:

Ninguna vida hay segura
un instante: cuantos viven
en su principio perciben
tan contados los alientos
que se gastan por momentos
los números que reciben.
Yo, en aqueste instante, no
sé si mi cuenta cumplí,
ni le viviré, y tú sí,
a quien el cielo guardó
para un monstruo. Luego
yo llorar debiera ignorante
mi fin; tú no, si en este instante
a ser tan dichosa vienes
que seguro el vivir tienes
pues no está el monstruo delante (I, 455).

Desde el marco concreto de su situación —el aquí y el ahora del instante en el que razona y emite sus juicios—, Herodes está en lo cierto al pensar que el monstruo no está delante, aunque esté escondido e ignorado en él mismo. Delante sólo está el instrumento vaticinado, pendiente en su cinto. Si el puñal desaparece, uno de los elementos del vaticinio será invalidado, poniendo con ello en cuestión la validez del otro elemento. Consecuentemente, decide arrojarlo al mar, sepultándolo en su seno, con lo que prueba que las estrellas mienten «y que el hombre es dueño de ellas» (I, 456). Es esta conciencia, repetida una y otra vez en el teatro calderoniano, de que el hombre domina las estrellas, y sustentada sin desmayo a lo largo de toda la tragedia, la que da al héroe trágico toda su dignidad y su hondura, y la que impide todo superficial optimismo, el cual atentaría contra la grandeza del héroe y de la acción trágica. Calderón, como comprobaremos en seguida, pone especial cuidado en caracterizar al Tetrarca como modelo de varón estoico que ni teme a las desgracias ni a los infortunios ni a las adversidades.

La cortísima escena que precede a la acción de arrojar al mar el puñal intensifica, con esa economía de recursos dramáticos que caracteriza a nuestro dramaturgo, la ominosidad del instante, concentrando en la daga blandida unos segundos por la mano de Herodes su valor simbólico de signo y adelantando, con valor de premonición, el momento fatal que dará fin a la tragedia. Mariene, poseída por el temor, exclama:

> *Mi muerte me advierte*
> *mirarle en tu mano fuerte* (I, 456).

Son estas palabras las que, decidiendo la acción de Herodes, le llevan a decir más de lo que el hombre puede decir, sobrepasando los límites de su condición:

> *Pues porque no temas más*
> *desde hoy inmortal serás.*
> *Yo haré imposible tu muerte* (I, 456).

Es esta sobresaturación de conciencia la que da toda su resonancia trágica a la conducta de los protagonistas que, estribados en su razón y en su libertad, afirman, desafiando el *futuro,* ciegos para descubrir su oculto sentido y sus propios límites humanos, la seguridad en sí mismos y en su amor.

Ahora bien, si tenemos en cuenta esa específica relación dialéctica entre el punto de vista del personaje y el punto de vista del espectador [8], el segmento que comentamos empieza a adquirir todo su sentido y su valor dramático. El lenguaje global del texto tiene muy distinto nivel de transparencia para el personaje y para el espectador. El primero, ciego para la ambigua polivalencia de los signos que el dramaturgo espacializa en el curso de la acción, adhiere exclusivamente a sólo uno de sus sentidos, a partir del cual actúa en una sola dirección que le conducirá precisamente a donde no quiere llegar. El segundo, en cambio, desde su conciencia distanciada que percibe la ambigüedad de los signos y su polivalencia de sentidos, asiste al desarrollo del espectáculo de las acciones del héroe, dividido entre el temor del fin que presiente —atenido a los signos de indicio que el dramaturgo siembra en el texto— y la piedad activa por el error en que aquél incurre en ese instante decisivo en el que, eligiendo un solo sentido, desatiende los otros. Uno de los efectos de la ambigüedad del lenguaje trágico es producir ese desnivel entre opacidad —para el personaje— y transparencia —para el espectador. Pero, a la vez, ese desnivel transforma en conciencia trágica la conciencia moral del espectador, sustituyendo así el juicio ético por el saber trágico, el cual consiste, a través del espectáculo, es decir, por mediación de él, en tomar conciencia de la polisemia de las palabras, las acciones y los valores del hombre y su mundo, reconociendo la naturaleza conflictiva, fuente de problematicidad, del universo configurado en el drama, drama que le remite, mediante el procedimiento de la *mimesis* [9], a la índole conflictual de la realidad humana.

Es, después de esta brevísima escena, cuando tiene lugar el accidente del puñal: arrojado al mar por Herodes, se clava en el hombro de Tolomeo que sale del mar. Aunque estas palabras que

---

[8] Para un comentario más amplio de este juego dialéctico del doble punto de vista del personaje y el espectador en el teatro del Siglo de Oro vid. mi libro *Estudios,* ob. cit., pp. 26-30.

[9] Sobre el concepto de *mimesis* me parecen especialmente interesantes las páginas dedicadas al tema por John Jones, *On Aristotle and Greek Tragedy,* Stanford University Press, 1980 (1.ª ed., Londres, 1962). El lector español podrá consultar las notas y la bibliografía correspondientes en *Poética de Aristóteles,* edición trilingüe de Valetín García Yebra, Madrid, 1974. Vid. también el excelente capítulo dedicado al concepto de *mimesis* en Robert Abirached, *La Crise du personnage dans le théâtre moderne,* París, 1978.

acabo de escribir den cuenta del suceso, no es así como el suceso ocurre *dramáticamente,* y es este específico modo dramático de suceder lo que determina para el espectador el sentido global del suceso. De la misma manera que la acción total o conjunto de acciones de un drama (macroacción) está configurado como un sistema de relaciones interfuncionales, cada segmento de acción (microacción) está también configurado como sistema, de acuerdo con un orden que le es propio, siendo ese orden en sí mismo productor de sentido. Siempre el significado tanto de la macroacción como de la microacción viene dado por el juego dialéctico entre el contenido y la forma, bien por coincidencia o por contradicción. ¿Cuál es este orden en la microacción que nos ocupa? Enumeremos sus fases.

A) El Tetrarca arroja al mar —a un «fuera» del espacio escénico— el puñal. B) Un grito de dolor por una voz masculina llega desde fuera adentro del espacio escénico. C) Dos reacciones contradictorias responden en escena al grito de dolor, reacciones que, implícitamente, suponen sendas interpretaciones: una de Mariene que expresa su terror, acorde con su actitud básica antes señalada («Toda soy horror», I, 457) y otra de Herodes, que intenta, de acuerdo también con su actitud básica, racionalizar el grito, emitiendo la hipótesis tranquilizadora de la no relación entre el puñal y el grito, e introduciendo la noción del «acaso» o casualidad («Los pequeños accidentes/nunca son prodigios grandes./ Acaso la voz se queja»; I, 457). D) Las tres fases —mínimas, naturalmente, en su duración— crean, tanto en los personajes como en el espectador, el suspense y la expectación, sintetizada en la pregunta de Mariene: «Acento tan lamentable/¿cuyo será?» (I, 457). E) La incógnita es, de manera progresiva, despejada *indirectamente* por los personajes desde dentro del espacio escénico, no *directamente* por el espectador, pues lo que está ocurriendo afuera sólo le llega por intermedio de los personajes: un hombre lucha con el mar por llegar a la orilla; Herodes, fuera de la escena, ha dado orden de que saquen del mar al hombre y lo acoge entre sus brazos. F) El hombre trae clavado el puñal en un hombro. Los versos que nos dan esta información sugieren, sin embargo, por virtud de las palabras en que nos es trasmitido el mensaje, y del personaje que lo trasmite (Mariene), mucho más que un puro suceso. Introducen un sentido trascendente que tiñe de nueva ominosidad lo que, aparentemente, es un simple accidente, influyendo así la receptividad del oyente [10]. G) El hombre es Tolomeo.

El modo como el suceso nos llega, determina que, cuando acabamos de recibir la información, el suceso en sí aparezca ya cargado de un halo semántico que nos invita a considerarlo no como un puro y simple accidente, aunque también lo es, sino como un signo a descifrar, como parte de un mensaje codificado a relacionar con otros signos con los cuales guarda relación. Es decir, no como un elemento aislado y suficiente en sí mismo, sino como formando parte de un sistema cuyo significado no es todavía aparente. El suceso se transforma así, desde su misma configuración dramática, en un símbolo de acción, símbolo que, a partir de ahora, y hasta el final, quedará adscrito al puñal. Puñal que, tanto los personajes como el espectador, mirarán como dotado de un poder fascinante, poder que influirá en la recepción de la acción trágica. Es en esa recepción donde, de nuevo, se separarán la pareja trágica formada por Herodes y Mariene y los espectadores.

En conclusión, lo que hubiera podido ser un simple accidente y, en consecuencia, un recurso teatral pueril, según lo calificaba Menéndez Pelayo, se convierte, en mano de un gran dramaturgo que potencia al máximo el arte de la construcción dramática, en misterioso eslabón de una misteriosa cadena de acciones.

Del hombre herido por el puñal sólo conocemos el nombre, Tolomeo, y su relación con dos de las damas de Mariene, Libia y Sirene, relación que parece sugerir un conflicto entre ambas, conflicto cuyo significado en la acción sólo descubriremos más tarde, pero que, por el momento, carece de toda concreción. Cuando, inmediatamente, entra en escena, acompañado de Herodes, adquiere para el espectador personalidad dramática, definida exclusivamente por su función de mensajero, portador de malas nuevas: Antonio ha sido derrotado por Octaviano, y se encuentra sitiado o muerto, con lo que las esperanzas del Tetrarca, dice, hacia el final de su mensaje,

---

[10] Los versos de Mariene rezan así:

Dices bien, mas, ¡ay de mí!
que asombro a asombro se añade,
pues puñal que fue cometa
de dos esferas errantes,
arpón del arco del cielo,
clavado en un hombro trae (I, 458).

como el humo se deshacen;
y más si Octaviano llega
a saber que a Antonio vales (I, 462).

Los planes políticos de Herodes, cuya ambición motivó la inquietud de Mariene y su querer antever el fin, se han derrumbado súbitamente. Y es Tolomeo, mensajero de desgracias, quien ha sido herido por el puñal, viniendo a fundirse en aquél los dos motivos.

¿Cuál es la actitud de Herodes ante las desgracias que le acaba de anunciar el mensajero? La escena con Filipo, que le exhorta a mostrar su grandeza en los tiempos de infortunio, nos muestra su heroica estatura y su condición, casi arquetípica, de modelo de varón estoico que ni teme desgracias ni adversidades ni le asombran prodigios ni reveses de fortuna [11]. No le importan la derrota ni la muerte ni los «presagios del puñal». Otras son sus cuitas, otra su aflicción. El más alto valor para el Tetrarca, el que ocupa la cúspide del entero sistema jerárquico de valores, es para él el amor de Mariene. Amor convertido en medida absoluta de todo bien y, en principio, de su propia conducta política, pues ésta se supedita a aquél. Vale la pena citar los versos con que cierra su apasionado discurso y su diálogo con Filipo:

Piérdase la armada, muera
Antonio mi parcial, falte
Aristóbolo, Octaviano
sepa o no mi intento, mande

[11] He aquí dos de sus réplicas:

1. *No tengo*
   miedo a las adversidades (I, 464).
2. *Al magnánimo varón*
   no hay prodigio que le espante (I, 464).

Sobre el senequismo en Calderón vid. A. Valbuena Briones, «El senequismo en el teatro de Calderón», *Papeles de Son Armadans*, 31, 1963, pp. 249-270, y su libro *Calderón y la Comedia Nueva,* Madrid, Austral, 1977, pp. 60-75. Sobre el senequismo en España, Karl Alfred Blüher, *Seneca in Spanien. Untersuchungen zu Geschichte Der Seneca-Rezeption in Spanien vom 13. Bis 17. Jahrhundrert,* Munich, Franke Verlag, 1969. Hay abundante bibliografía. También en *Les tragédies de Sénèque et le théatre de la Renaissance,* ed. Jean Jacquot, París, CNRS, 1964, vid. los trabajos de Herbert E. Isar (páginas 47-60), Jean-Louis Flecniakoska (pp. 61-72) y Raymond R. MacCurdy (páginas 73-85).

vuelva el prodigioso acero
a mi poder; que a postrarme
nada basta, nada importa,
sino que el medio se atrase
de hacer reina a Mariene
del mundo. Ya en esta parte
dirás, y lo dirán todos,
que es locura. No te espante,
que cuando amor no es locura
no es amor; y el mío es tan grande,
que pienso (atiende, Filipo)
que, pasando los umbrales
de la muerte, ha de quedar
a las futuras edades
grabado con letras de oro
en láminas de diamante [12].

Permítaseme que, por razón de método expositivo, reserve el comentario de estos versos para la próxima sección de este estudio. Si los he citado ahora es porque es necesario tenerlos en cuenta para entender las decisiones tanto de Herodes como de Mariene con que se cierra el Acto I.

El episodio del puñal, que tan infaustamente ha vuelto a sus manos, ha colocado a Herodes en una terrible encrucijada de la que debe salir tomando una decisión, decisión que consiste, rectamente, en ponerlo en manos de Mariene, para que sólo ella sea árbitro de su propia suerte y vida. La decisión es, de nuevo, fruto de un razonamiento perfectamente construido, donde se tienen en cuenta las contrarias alternativas que la situación y la experiencia vivida ofrecen y que son sometidas a argumentación racional. Si, por un lado, fundado en el valor de la razón, postura constante del héroe, no da crédito al hado ni a la fortuna, por el otro, influido por la experiencia vivida, tampoco puede ya dudar «casuales vaticinios» (I, 482). Consecuentemente, atenido a su concepción de la dignidad del hombre, a lo que él llama «el perfecto varón» (I,.482), decide, vacilante entre su razón y su experiencia, rendir el puñal

[12] Debido a un lamentable error de impresión, la secuencia de estos versos está alterada en mi edición. Remito a la edición del profesor Everett W. Hesse, *El mayor monstruo, los celos,* The University of Wisconsin Press, Madison, 1955 (acto I, versos 495-514, pp. 52-53). Modernizo la ortografía.

a los pies de Mariene. Finalmente, reitera enérgicamente que sólo el profundo amor por ella motiva éste y cada uno de sus actos, aunque —dato importantísimo sobre el que luego volveremos— afirma, por primera vez, y esto no lo olvidaremos, que, tal vez, el monstruo que amenaza la vida de su amada sea su propio amor [13].

Reconociendo que fue atrevimiento arrojar el puñal al mar para hacer imposible su muerte (I, 483), juzga lo más cuerdo devolverle el puñal, pues no será ella quien atente contra su misma vida.

Mariene, movida, de un lado, por el pavor irreprimible que la vista del puñal le causa, y queriendo sobreponerse al pavor, y, de otro lado, respondiendo con igual fineza a la calidad del amor del Tetrarca, rechaza el puñal y, tras una serie férreamente construida de argumentos, cuya lógica está fundada en la profunda lógica interna del amor que los une, amor constituido en principio único de toda decisión y, en última instancia, en medida suficiente —humanamente suficiente en el aquí y el ahora temporalmente concreto de sus vidas— de su interpretación de los hados, lo deposita en las manos de Herodes para que su amor sea la única guarda de su vida (I, 484-87).

Apenas éste lo recibe, suenan dentro, nuevo signo sonoro de desgracia, los tambores y voces del Capitán y los soldados de Octaviano que vienen a prenderlo [14].

El espectador se encuentra dividido entre su admiración por la grandeza del amor de Herodes y Mariene, grandeza que sus palabras y acciones magnifican, magnificándose a sí mismos, y el temor ante el exceso de ese mismo amor.

---

[13]
No es posible que yo quiera,
si inmortal al tiempo vivo,
otra cosa más que a ti;
tanto, que mil veces digo
que el imaginado monstruo
que te amenaza a prodigios,
es mi amor, pues por quererte,
a tantas cosas aspiro
que temo que él ha de ser
quien labre nuestro obelisco (I, 483).

[14] *Y así, a tus voces movido,*
en tu nombre, Mariene,
segunda vez me lo ciño.
(Al tomar el puñal, cajas y golpes dentro y salen Capitán y soldados) (I, 488).

3. Pasión y azar

Si, por un lado, Calderón tiende a realzar la humana estatura del héroe al destacar su temple ante los reveses de la Fortuna, suscitando un indudable grado de admiración por su entereza de carácter y por la calidad y la fuerza de su amor, por otro, impide, sin embargo, al espectador la posibilidad de identificarse con el héroe al suscitar en él el temor ante el exceso de ese mismo amor, manifestado de tan absoluto modo, temor que intensifican la misma ambigüedad del lenguaje del texto y de los signos de acción. A diferencia del futuro espectador romántico o burgués, que valorará la pasión individual por encima de los deberes y obligaciones de Estado, el espectador barroco entiende como ruptura del orden y amenaza de la armonía universal, consecuentemente como una inversión del sistema de valores, la supeditación de las funciones inherentes al papel de Rey a la esfera privada del amor. Admirable como individuo, como Rey, responsable del bien del reino, Herodes se comporta imprudentemente, al someter la suerte de sus ejércitos y de sus aliados a la pasión amorosa que priva como bien supremo por sobre el bien común. Cuando esto ocurre, el amor es locura, pues, convertido en pasión absoluta, que no deja sitio a los deberes de Estado y va más allá de todo límite, en su mismo exceso lleva la semilla de la destrucción y el desorden.

Es ese efecto destructivo de la pasión lo que la acción nos muestra. Desde la declaración, antes citada, del Tetrarca, en la que manifiesta tener conciencia del amor como locura, éste aparece esencialmente no sólo como una obsesión que hace retroceder todo lo demás a segundo plano, sino como una obsesión que se convierte en medida única de interpretación de la realidad, la cual sólo parece existir en relación con el amor y exclusivamente referida a él, incluida la realidad del objeto amado, cuya existencia pierde su valor y su autonomía, desplazada e incluso negada por la misma pasión. Cuando ésta alcanza tal grado de intensidad, posesionándose del individuo, nada ni nadie puede desviar su curso, pues actúa como una fuerza ciega cuyos mecanismos internos no pueden controlar ni la razón ni los sentimientos y cuyos efectos, imprevisibles, obran inexorablemente la destrucción.

Es esa lógica interna de los mecanismos de la pasión, a la cual se entrega totalmente el héroe, la que produce en el espectador una intensa emoción de terror y de impotencia, al descubrir la ceguera del héroe para todo lo que no es su propia pasión. A medida que el drama avanza, el enigma del «monstruo» pierde su ambigüedad para el espectador hasta ser identificado con los héroes y su pasión. Antes de que termine el primer acto, Herodes mismo establece dicha identificación para olvidarla en seguida, sin detenerse a sacar las consecuencias pertinentes. Como tampoco las saca Mariene en el acto siguiente cuando, enterada de la decisión de su marido de hacerla matar después que él muera, identifica como uno y el mismo a Herodes y el monstruo [15]. En el tercer acto, donde tropezamos cinco veces con la palabra «monstruo», la doble identificación anterior, que para el espectador se constituye en clave del enigma y en fuente de emoción dramática, es desviada por los personajes en favor de otras interpretaciones que reinstauran la ambigüedad inicial del vocablo, hasta reducirla a uno de sus significados, el de los celos, como si éstos fueran no el efecto, sino la causa, cuando, en realidad, los celos tienen el mismo valor instrumental que el puñal [16].

El mayor monstruo del mundo es, en efecto, «un compuesto de horror», tanto a nivel instrumental (celos, puñal) como a nivel

---

[15] *Si del mundo el mayor monstruo*
me está amenazando en ese
encuadernado volumen,
mentira azul de las gentes,
y tú me matas, será
bien decirse de ti que eres
el mayor monstruo del mundo (II, 536).

[16] 1. *...pues si él predijo*
que tu acero prodigioso
o un monstruo me han de dar la muerte,
huyendo del uno al otro,
o me ha de matar tu acero
o el mar, que es el mayor monstruo (III, 561).

2. *...Parad, parad, recelos,*
no forméis un compuesto de horror tanto
que el mayor monstruo hayan de ser los celos (III, 562).

3. *...muriendo a mis celos*
y a mi puñal, ejecuto
que mató a lo que más quise
el mayor monstruo del mundo (III, 586).

4. *...injustos celos, que son*
el mayor monstruo del mundo (III, 587).

Vid. al respecto las interesantes observaciones de Walter Benjamin, *The Origin of German Tragic Drama,* trad. John Osborne, London, 1977, p. 133.

causal (la pasión de doble dirección de Herodes por Mariene y de Mariene por Herodes). Es la pasión centáurica, monstruo de dos cabezas, que los une, la que los destruye. El proceso destructivo que la pasión genera está estructurado dramáticamente en momentos fatalmente encadenados que actúan, a la vez, como causa y efecto uno del otro, mostrando así su inextricable relación de dependencia.

El primer momento ocurre cuando el Tetrarca, encerrado en su prisión por Octaviano, cree que va a morir. Alienado por los celos que se han posesionado totalmente de él, al ver el retrato de Mariene en las manos de Octaviano, ha intentado asesinarlo con el puñal. Entre el puñal y el Emperador se interpone el retrato grande de Mariene, que, mal colgado sobre el dintel de la puerta, cae en el preciso instante en que el Tetrarca acomete su acción homicida. En lugar de clavarlo en Octaviano, lo clava en la imagen pintada de la esposa. Obsesionado por sus celos, convencido de su muerte inminente, sabedor de que Octaviano se dirige a Jerusalén, y al que imagina desposándose con Mariene, entrega a su general Filipo, que le visita en la prisión, orden escrita de matar a Mariene. El largo discurso con el que intenta justificar tan «prodigiosa», «terrible», «temeraria», «fiera» y «bárbara» decisión (II, 512-513) muestra la monstruosa lucidez de un alma desesperada, atenazada por la locura, la ira, la rabia, el frenesí de una pasión que proyecta sus celos más allá de los límites de la muerte (II, 517-518). La advertencia con que lo termina prepara dramáticamente la conexión con el segundo momento a que antes aludí:

Muera yo, y muera sabiendo
que Mariene soberana
muere conmigo, y que a un tiempo
mi vida y la suya acaban;
pero no sepa que yo
soy el que morir la manda:
no me aborrezca el instante
que pida al Cielo venganza (II, 518-519).

Si el azar interviene en el primer momento, mediante el retrato doble de Mariene que provoca los celos del Tetrarca, el azar vuelve a intervenir en el segundo momento, poniendo en manos de Mariene la orden escrita del Tetrarca. La reacción de ésta es fulminante, cumpliéndose en ella el temor expresado por Herodes en los versos antecitados. Mariene, ofendida en su amor, dominando, pero no rechazando, el espíritu de furor que la posee y altera todo su ser [17], escindida entre contrarias ansias, acometida del tropel de «divididos afectos», «encontrados pareceres» «y opuestas obligaciones», decide perdonar como reina y vengarse como mujer (II, 538). Como reina, suplicará en una hermosa escena y obtendrá de Octaviano el perdón del Tetrarca; como mujer, se vengará negándole su amor y su presencia. Afincada en su amor ofendido, y fundamentada en su orgullo de sangre y de raza, hará sentir al Tetrarca la bajeza de su casta inferior de idumeo y la indignidad de su conducta y de su ser, negando toda posibilidad de conciliación, sustituyendo la piedad por la venganza y el amor por el «afecto rabioso» (III, 556), el cual la induce a expresarse con estas palabras:

> *Y no me diera venganza*
> *verter morir cuando noto*
> *que es la muerte en las desdichas*
> *el postrer último coto.*
> *Verte vivir, sí, ofendido,*
> *aborrecido y quejoso,*
> *por creer que hallar no pude*
> *castigo más riguroso*
> *para un ingrato que verse*
> *olvidado de lo propio*
> *que se vio amado. El que llega.*
> *a esto, ¿cómo vive, cómo?* (III, 556-557).

Centrado cada uno en sí mismo, su pasión excluye tanto en el uno como en el otro todo asomo de simpatía humana, de piedad o de cuidado por cuanto no sea su propia situación. Encerrados en el hermético círculo de su pasión, por ella poseídos, ésta ha venido a convertirse, condicionando mutuamente sus conductas, en forma interior de sus vidas y en fuente y motor de su destino, haciendo que cada uno, negando al otro como sujeto, lo degrade a puro y simple objeto.

---

[17]
> *Mas, ¡ay!, que, en llegando a este*
> *término, no sé qué nuevo*
> *espíritu me enfurece...* (II, 537).

La doble intervención del azar, antes mencionada, es elaborada dramáticamente por Calderón de modo tal que pierda su carácter accidental y aparezca como formando parte de un proceso dotado de motivación dramática propia. Que el retrato de Mariene esté en manos de Octaviano se justifica escénicamente por las acciones precedentes, del mismo modo que la caída del retrato grande ha sido preparada por la corta escena anterior. La información que tales escenas suministran al espectador preparan a éste para admitir la plausibilidad del accidente para que, cuando éste se produzca, actúe como un elemento intensificador de la tensión dramática concentrada en la reacción de Herodes. Así preparado, el espectador está en disponibilidad para captar la interrelación entre azar y pasión, viniendo la sorpresa no del primero —integrado en su horizonte de expectación—, sino de la segunda, totalmente inesperada. Parejamente, la intervención del azar está motivada en el segundo momento, con mayor cuidado todavía que en el primero, mediante la cuidadosa elaboración dramática de las circunstancias que explican que el papel del Tetrarca vaya a parar a manos de la única persona que no debía verlo. A los celos de Libia, ya motivados por su rivalidad con Sirene desde el comienzo del Acto I, viene a unirse la curiosidad, igualmente motivada ya, de Mariene, que la lleva a hacer caso omiso de las angustiadas advertencias de Tolomeo, advertencias cuya gravedad capta el espectador y cuyas consecuencias anticipa. De nuevo, lo inesperado es la explosión emotiva de Mariene.

En ambos casos, pues, el azar es desbordado en términos estrictamente dramáticos por la pasión de la pareja trágica que ocupa el primer plano en la atención del espectador.

En el estudio citado del profesor Alexander A. Parker [18], al establecer éste la secuencia de las acciones en la cadena dramática, distingue dos series de eslabones diferenciados entre sí por su carácter de actos voluntarios o involuntarios, causados estos últimos, según él, por accidente o casualidad. Si cualquiera de estos últimos no se hubiera producido, habría una ruptura en la cadena de causalidad y no habría ocurrido la catástrofe final. Y añade Parker:

> La muerte por accidente de Mariene es el último de una serie de acontecimientos fortuitos que en la estructura causal de la ac-

[18] Art. cit., pp. 187-188.

> ción rompe constantemente la serie de acontecimientos queridos por los personajes; desviándolos de los fines propuestos. A estos accidentes los llama Calderón *acasos.* ... Esta perpetua interacción entre acontecimientos voluntarios e involuntarios *acasos* significa que el hombre no puede controlar los acontecimientos, pues lo fortuito está siempre fuera de su dominio.

Nada más cierto. Porque ello es así, importa precisar cómo el espectador capta esa interacción entre acontecimientos voluntarios e involuntarios *acasos.* Si nos fijamos bien, estos últimos no son en sí mismos involuntarios de modo absoluto, pues se producen como resultado de un concurso de circunstancias motivadas —es lo que se esfuerza en mostrar el dramaturgo— por la interacción de una situación concreta y un carácter no menos concreto [19]. La involuntariedad no está en la producción de ninguna de las dos series de actos de que habla Parker, pues cada una obedece a una especie de lógica interna, sino en su incidencia en el orden temporal de la acción. Cuando coinciden, mediante la intervención del azar, el curso de la acción queda alterado como consecuencia de una decisión del héroe trágico, decisión no imputable al azar sólo ni sólo a la pasión, sino a la interacción dialéctica de la una y el otro. Cuando el espectador ve a Herodes y a Mariene deliberar sobre las opciones que se les ofrecen y tomar la iniciativa de lo que hacen, a causa de su carácter, y determinar en función de su propia decisión el curso de la acción y asumir la responsabilidad de sus actos, percibe, con plena conciencia de las consecuencias que de ellos pueden dimanar, que esos actos no tienen su fundamento ni su origen sólo en los personajes, sino también fuera de ellos. Y es esa conciencia del fundamento ambiguo de las acciones humanas lo que provoca en él, indisolublemente ligados, el terror y la piedad por la pareja trágica. Trágica, en cuanto culpable y víctima al mismo tiempo. El hombre, en efecto, como afirma el profesor Parker, no puede controlar los acontecimientos, porque no

[19] Octaviano tiene el retrato de Mariene porque se encontraba entre los bienes confiscados a Aristóbolo, hermano de Mariene. Lo manda reproducir a tamaño agrandado porque cree que pertenece a una mujer muerta, pues Aristóbolo así se lo ha dicho, creyendo evitar un mal con una mentira bien intencionada. De haber sabido la verdad, no la habría exhibido imprudentemente a la mirada del Tetrarca, según éste mismo reconoce (II, 509-510).

controla el orden temporal en el que éstos se insertan. Ese orden temporal del acontecer humano es, precisamente, lo que el dramaturgo expresa mediante el orden dramático de la acción, el cual es su reflejo mimético.

Toda esa larga cadena de actos cuidadosamente estructurados, ninguno mecánico, ninguno arbitrario, conducen, inexorablemente trabados en la acción, al cumplimiento de los hados. Cada uno de esos actos tiene una finalidad inmediata y un sentido muy concreto. Pero, unidos todos, tienen otro sentido, que trasciende sus particulares sentidos concretos, y alcanzan su valor de signos de esa trascendencia en cuya órbita están inscritos. Ningún personaje padece fuerza en el momento de actuar, todos ellos realizan actos libres, cuyos efectos no pueden prever. Pero todos ellos labran su propio destino.

Repase el lector, comprobando su secuencia en el texto calderoniano, cuáles son esos actos: un retrato de Mariene caído por azar en manos del César Octaviano; una mentira bienintencionada de Aristóbolo, creyendo evitar así un mal; una carta escrita por Herodes en su prisión, cuando está seguro de que va a morir; la indiscreta curiosidad de una mujer celosa, Libia, y la curiosidad, definitoria de su carácter, de Mariene; la mentira, que es un error de interpretación, de un criado, dicha a Octaviano para salvar su propia vida y la de su amada; la noble conducta de Octaviano que acude presuroso a salvar la vida de Mariene que cree en peligro; la luz apagada por Mariene para evitar una acción sangrienta; la acción de Herodes que, en defensa del honor de su esposa, la apuñala en la oscuridad, creyendo apuñalar a Octaviano.

Herodes, que, para hacer imposible la muerte de Mariene, había arrojado al mar el puñal con el que acaba de matarla, se arrojará al mar, vengándola de sí mismo, cerrando finalmente el círculo.

La tragedia de Herodes y Mariene es, posiblemente, la más cerrada de las escritas por Calderón. Los personajes, atrapados en la trampa que ellos mismos han abierto, se precipitarán en ella. Herodes y Mariene, abandonados a sí mismos y a su extraña lucidez, parecen moverse bajo un cielo inmisericorde.

La pasión que los une, los destruye.

Los personajes secundarios, con función de coro, invitan al espectador a unirse a ellos, exclamando:

LIBIA: *¡Qué lástima!*
SIRENE: *¡Qué desdicha!*
FILIPO: *¡Qué horror!*
CAPITÁN: *¡Qué asombro!*

2. La tragedia de la casa de David

En *Los cabellos de Absalón* la casa de David tiene la misma función y el mismo valor de espacio trágico —marco y foco, a la vez— que la casa de Tebas o la casa de los Atridas en el teatro griego. Del mismo modo que en la trilogía tebana de Esquilo, de la que sólo nos ha llegado *Los siete contra Tebas,* «la culpa se encuentra en el terrible suceso acaecido en la casa real de Tebas» [20], la culpa en *Los cabellos de Absalón* se encuentra en el terrible suceso —adulterio y homicidio— acontecido en la casa real de Israel. Asimismo, «la maldición que persigue a la casa de Layo a través de las generaciones» [21], persigue a la casa de David a lo largo de la generación de los hijos. Si, en Esquilo, «esta maldición no pasa casualmente a través de las generaciones, arrastrando a la perdición a seres inocentes, sino que continuamente se manifiesta en acciones culpables, a las que sigue la desgracia a modo de expiación» [22], en esta tragedia de Calderón tampoco Amón o Absalón son víctimas inocentes, pues ambos han cometido acciones culpables, aunque misteriosamente ligadas a la culpa en el origen y a la maldición divina. Y, tanto en el texto bíblico como en Calderón, se cumple la maldición pese a la actitud básica de David, que es la del perdón, perdón que contribuye, en contra de su más honda vocación de amor, a la realización de la maldición. Exactamente en el mismo sentido en que Basilio, en *La vida es sueño,* provocaba el cumplimiento del destino anunciado, como lo provocan, intentando evitarlo, Herodes o Enrique VIII.

De entre los grandes héroes bíblicos, David atrae muy especialmente la atención de los dramaturgos del Renacimiento, en ese

[20] Albin Lesky, *La tragedia griega,* Madrid, 1966, p. 86.
[21] Lesky, *ibid.,* p. 86.
[22] Lesky, *ibid.,* p. 86.

momento auroral del teatro europeo en que la tragedia, al igual que los otros géneros dramáticos, busca su forma, sus mitos y sus héroes, y en que los autores vuelven sus ojos a esa gran mina de arquetipos, símbolos y temas que es la antigüedad clásica y que, en el seno de la tradición exegética cristiana, había sido y seguía siendo la Biblia [23]. La historia de David y de su casa, particularmente rica en contrastes dramáticos, y perfectamente adaptable, además, al modelo dramático de la tragedia senequista, se convertirá en fuente y modelo de multitud de tragedias europeas durante los siglos XVI y XVII [24].

Si *Los cabellos de Absalón* es parte integrante de esa tradición dramática centrada en la casa de David, de la cual quizá sea una de sus mejores formulaciones en la historia del teatro clásico europeo, es también una de las piezas clave del modelo trágico calderoniano, fundado en el conflicto libertad/destino.

1. Amón y su pasión

Desde la primera escena, la alegría del victorioso David, que regresa triunfante de la guerra y es recibido como un héroe por sus hijos, queda ensombrecida por la ausencia de Amón, primogénito y heredero del trono, único que no ha salido a recibirle y darle los parabienes por sus heroicas victorias en el campo de batalla. Amón, recluido en su cuarto, padece un misterioso mal de ánimo, mal que se nos irá desvelando gradualmente, y cuyo origen radica en su pasión por Tamar, su hermanastra. Desde la negación inicial de Amón a dar su nombre a la pasión que lo posee, y que mantiene celosamente oculta, no sólo de los demás, sino incluso de su propia conciencia, hasta su estallido brutal en la

---

[23] Vid. Northrop Frye, *Anatomy of criticism,* New York, 1968 [6], especialmente pp. 383 y siguientes.

[24] Vid. Raymond Lebégue, *La Tragédie religieuse en France, 1514-1573,* París, Champion, 1929, y del mismo *La Tragédie francaise de la Renaissance,* Bruxelles, 1944; F. S. Boas, *University Drama in the Tudor Age,* Oxford, 1914; Justo García Soriano, *El teatro universitario y humanístico en España,* Toledo, 1945; Alfredo Hermenegildo, *La Tragedia en el Renacimiento español,* Barcelona, 1973; también Inja-Stima Ewbauk, «The House of David in Renaissance Drama», *Renaissance Drama,* VIII, 1965, pp. 3-40, y el libro colectivo *The David Myth in Western Literature,* Purdue University Press, 1980.

escena de la violación, última del primer acto, Calderón va mostrando paso a paso, con calculada gradación dramática, el proceso oculto y fatal de la pasión. Ahora bien, lo significativo, desde el punto de vista dramático, en la pieza de Calderón, no es simplemente el proceso escénico de desvelamiento de la pasión, sino su doble carácter posesivo y fatal, ausente en *La venganza de Tamar,* de Tirso de Molina [25]. Ambos caracteres de la pasión están expre-

[25] Como es bien sabido, el acto II de *Los cabellos de Absalón* es idéntico, con ligeros retoques, cambios y supresiones, al acto III de *La venganza de Tamar.* La tragedia del mercedario apareció publicada en la *Parte Tercera de las comedias del Maestro Tirso de Molina,* Tortosa, 1634, aunque debió de ser escrita entre 1620 y 1624. (Para los problemas de los distintos textos, vid. la «introducción» de A. K. G. Paterson a su edición de *La venganza de Tamar,* Cambridge University Press, 1969, pp. 29-30, así como su artículo «The Textual History of Tirso's *La venganza de Tamar*», *Modern Language Review,* 68, 1968, pp. 381-391.) Para el estudio comparativo entre los textos de Tirso y Calderón, vid. Albert E. Sloman, *The Dramatic Craftsmanship of Calderón. His Use of Earlier Plays,* Oxford, 1969, pp. 94-127, y las introducciones de Helmy Fuad Giacoman y de Gwynne Edwards a sus respectivas ediciones de *Los cabellos de Absalón,* University of North Carolina, 1968, pp. 35-42, y Oxford, 1973, pp. 7-14. Que Calderón copie un acto entero de Tirso carece de precedentes en sus «refundiciones» de obras de otros autores. Las diferentes explicaciones avanzadas por Cotarelo Mori, Otto Rank, Valbuena Prat, Sloman y Edwards no son más que hipótesis. Mucho más plausible, a mi juicio, es la novísima propuesta de Alfredo Rodríguez López-Vázquez en su artículo «La venganza de Tamar: colaboración entre Tirso y Calderón», que he podido leer en pruebas de imprenta gracias a la amabilidad de su autor. El joven investigador español propone una doble autoría: Tirso, autor de los actos I y II, Calderón del acto III. Para probarlo, estudia comparativamente el sistema métrico y el léxico, demostrando, en efecto, las diferencias entre los actos I-II y el acto III, el cual, tanto por la métrica como por el léxico coincide con los otros actos de *Los cabellos de Absalón,* pero no con los de *La venganza de Tamar.* Concluye así su interesantísimo análisis: «... frente a la evidente disparidad de estilos e intención dramática que existe en los dos primeros actos de *La venganza de Tamar,* en comparación con el tercero, lo que tenemos en *Los cabellos de Absalón* es un ejemplo evidente de unidad temática, léxica, métrica y estructural.» A la excelentemente argumentada hipótesis de Alfredo R. López-Vázquez, habría que añadir, entre otros, el siguiente punto: en el acto II de Tirso, versos 821-940, es destacada la relación amorosa que une a Tamar y a Joab, relación inexistente, explícita o implícitamente, en el acto III (el II de Calderón). La lógica dramática exigiría que, después de la violación de Tamar por Amón, hubiera alguna alusión a dicha relación amorosa, o acciones y declaraciones de Joab o de Tamar motivadas por dicha relación, en el acto III. Que ésta parezca no haber existido inclina a pensar en la plausibilidad de la doble autoría propuesta por López-Vázquez, como también predisponen a ella otros elementos señalados más adelante en las páginas que

sos en dos momentos clave del Acto I. En el primero, Amón en un *aparte,* estructurado en la forma típica interrogativa del soliloquio calderoniano, dice, aludiendo a Tamar:

> *¿Cómo,*
> *calladas pasiones mías,*
> *a esta ocasión me reporto?*
> *Pero ha de ser, ¡ah, deseo!*
> *que aun a sólo ver su rostro*
> *no he de salir a la puerta.*
> *Mas, ay, que en vano me opongo*
> *de mi estrella a los influjos;*
> *pues cuando digo animoso*
> *que no he de salir a verla,*
> *es cuando a verla me pongo.*
> *¿Qué es esto, cielos? ¿Yo mismo*
> *el daño no reconozco?*
> *Pues ¿cómo al daño me entrego?*
> *¿Vive en mí más que yo propio?*
> *No. Pues ¿cómo manda en mí*
> *con tan grande imperio otro,*
> *que me lleva donde yo*
> *ir no quiero?* (I, 286-287)[26].

En el segundo, Amón confiesa a Tamar el miedo que tiene a decir su deseo, y añade:

> *De este atrevimiento mío*
> *no tengo la culpa yo,*
> *porque en mí solo nació*
> *esclavo el libre albedrío.*
> *No sé qué planeta impío*
> *pudo reinar aquel día,*
> *que, aunque otras veces había*

---

siguen. Sin embargo, mantiene su vigencia alguna de las objeciones de Sloman. Vid., sobre todo, en su libro las líneas finales de la p. 108.

[26] Cito siempre por mi edición en Calderón, *Tragedias (3),* Madrid, 1969, páginas 273-407. El número romano indica el acto, y los números árabes las páginas.

tu beldad visto, aquél fue
el primero que te amé,
bellísima Tamar mía (I, 294).

Estas palabras marcan la frontera y el punto crítico en la historia oculta de la pasión de Amón. Hasta entonces, se ha resistido a dejarse dominar por ella, encerrándose en la oscuridad y la soledad, pugnando por no admitirla, negándose a darle un nombre, para no tenerse que avergonzar de sí mismo. Es obvio que Calderón no quiere presentar a Amón como personaje irresponsable ni inconsciente, ni desprovisto de conciencia moral; de ahí que realce la lucha del personaje consigo mismo y su negación a objetivar el deseo, que rechaza a las zonas profundas del subconsciente. Conoce lo monstruoso de su pasión, siente horror por el deseo albergado en lo más hondo del ser (I, 285), siendo, por ello, su primera reacción la ocultación y el rechazo de ese deseo, origen de su melancolía y de su tristeza, signos externos ambos de su sufrimiento y su combate interior. El sentido profundo y ambiguo de los textos antecitados queda destacado al contrastarlos con el doble remedio que David propone a Amón en su primera visita al cuarto del «enfermo»:

¿Qué es esto, Amón? Si de causa
nace tu pena, no ignoro
que podré vencerla yo:
tuyo es mi Imperio todo,
dispón de él a tu albedrío,
desde un polo al otro polo.
Y si no nace de causa
conocida, sino sólo
de la natural pasión
de este nuestro humano polvo,
aliéntate: imperio tiene
el hombre sobre sí propio,
y los esfuerzos humanos,
llamado uno, vienen todos.
No te rindas a ti mismo,
no te avasalles medroso
a tu misma condición:
mira que el pesar es monstruo

que come vidas humanas
alimentadas del ocio.
Sal de este cuarto... (I, 281).

El lenguaje de David y el lenguaje de Amón son radicalmente distintos entre sí, pues pertenecen a dos categorías semánticas y a dos órdenes de realidad diferentes. El padre habla de la condición humana falible, imperfecta y débil y del imperio del hombre sobre sí propio en el seno de esa misma menesterosa condición y a pesar de ella. El hijo, del imperio de «otro» sobre sí propio, de los influjos de su «estrella», de la esclavitud de su libre albedrío, del «planeta impío» que presidió la aparición del deseo. Entre el discurso de David y el discurso de Amón hay una oposición sustentada en la relación dialéctica entre dos polos antagónicos: libertad y destino. Esa oposición, que es una de las formas mayores de manifestación de lo trágico en el teatro de Calderón, funciona, a la vez, en dos niveles de significación: uno puramente inmanente, de carácter psicológico y ético, y otro trascendente al individuo, de carácter cósmico y religioso. En el primer nivel, que actúa en hondos estratos del ser humano, Amón, consciente de lo monstruoso de su pasión, lucha por rechazarla, pero, a la vez, se siente enajenado por la fuerza que se manifiesta como «otra» en el centro mismo de su pasión. Lo dramatizado, desde una perspectiva ética, a la vez cristiana y neo-senequista, es la lucha entre razón y pasión, donde lucidez y alienación se enfrentan agónicamente, mostrando así la división de la conciencia, cuya manifestación teatral será en otros dramas encomendada al monólogo o al soliloquio.

Pero, en el segundo nivel, coexistente con el primero, la posesión de la conciencia por la pasión queda inscrita en una superior esfera de realidad, donde se manifiesta una presencia «otra», un oscuro poder superior al individuo. La paradoja trágica, de la que Calderón da testimonio, una y otra vez, es que ese poder sólo actúa en el interior de la libertad humana, y sólo se cumple a través y por medio de ella.

Edwards ve la tragedia de Amón como el resultado de una combinación de factores, entre los cuales destaca la naturaleza débil y la falta de autocontrol del personaje y su exacerbación a causa del exceso de amor de David y su indulgencia con las graves faltas del hijo [27]. Ciertamente, Amón es responsable de su conducta desarreglada, de no haber alcanzado el dominio sobre sí y su pasión. ¿Pero qué significa ese «otro» que le lleva donde no quiere ir, y esa «estrella» y ese «planeta impío», y esa negación de su propia libertad, puestos por Calderón en boca de Amón en ese momento preciso —no antes ni después— que marca, según apunté antes, la frontera entre la etapa de lucha consigo mismo, comenzada muchos días antes de la llegada de David a Jerusalén y del comienzo de la acción escenificada (I, 278), y la etapa del derrumbe y vencimiento de la resistencia de Amón? ¿Acaso intenta Amón con sus palabras escapar a su propia responsabilidad, enmascarar su debilidad y su falta de autodominio y autocontrol, convenciéndose a sí mismo de que la culpa no es suya, sino de su destino, de un poder «otro»? ¿Pretende engañarse a sí mismo sintiéndose víctima, sujeto pasivo y no activo y culpable, mediante inconsciente trasferencia? Aunque ambas explicaciones podrían ser plausibles en el marco de una psicología de la falta, hay, sin embargo, un dato importante introducido por el dramaturgo en una escena posterior: Amón, después que ya ha planeado, por mediación de David, hacer venir a Tamar a su cuarto, contesta a la alabanza de su criado, Jonadab, que le felicita por haber salido todo bien:

> *No, sino mal.*
> *Pues traidoramente intento*
> *añadir, desesperado,*
> *culpa a culpa, incendio a incendio,*
> *pena a pena, error a error,*
> *daño a daño y riesgo a riesgo* (I, 302).

Estos versos muestran patentemente que Amón sigue sin perder su conciencia culpable. Cuando en la escena final del Acto I acometa la violación de su hermana, sin atender a súplicas ni a razones, su enajenación habrá llegado al máximo. ¿Qué fuerza, pues, ha originado su pasión, pese a lo que él mismo confiesa, en unos versos ya citados?:

---

[27] Además de la «introducción» citada, vid. también los siguientes trabajos de Edwards: «Calderón's *Los cabellos de Absalón.* A Reappraisal», *Bulletin of Hispanic Studies,* 48, 1971, pp. 218-238, y *The Prison and the Labyrinth. Studies in Calderonian Tragedy,* Cardiff, University of Wales Press, 1978, pp. 86-110.

... aunque otras veces había
tu beldad visto, aquél fue
el primero que te amé,
bellísima Tamar mía (I, 294).

Es importante recordar —ya lo señalamos antes— que, en *La venganza de Tamar,* las dos notas —posesión y fatalidad— que Calderón introduce y subraya, en el despliegue dramático de la pasión de Amón, estaban ausentes. Aunque ambas notas forman parte de lo que pudiéramos llamar la etiología de la pasión en el drama calderoniano, sólo podremos entender su sentido en el drama de Amón cuando precisemos su función contestando a la pregunta que nos hacíamos líneas arriba. Para responder a esa pregunta es necesario conectarla con el tema de la maldición divina que subyace, enhebrándola, en la acción global de esta tragedia.

2. La maldición divina y los vaticinios de Teuca

Sloman, al igual que otros investigadores anteriores, señala como fuente del drama los capítulos 13 a 19 del Libro II de Samuel. Esos capítulos son, en efecto, la fuente del argumento de *Los cabellos de Absalón.* Pero la fuente de donde procede el sentido trágico de la acción que el argumento espacializa en escena no está en ellos, sino en el capítulo 12, versículos 9 a 12 del mismo Libro II de Samuel, donde Yahvéh, por boca del profeta Natán, maldice a David a causa del adulterio y del homicidio de que éste es culpable, diciéndole:

> Pues bien, nunca se apartará la espada de tu casa, ya que me has despreciado y has tomado la mujer de Urías el hitita para mujer tuya. Así habla Yahvéh: Haré que de tu propia casa se alce el mal contra ti. Tomaré tus mujeres ante tus ojos y se las daré a otro que se acostará con tus mujeres a la luz del sol. Pues tú has obrado en lo oculto, pero yo cumpliré esta palabra ante todo Israel y a la luz del sol [28].

En el texto bíblico, el drama de la casa de David, cuyo personaje central es Absalón, se nos narra a continuación de la maldición divina, separada la historia de Absalón por sólo veintiún versícu-

[28] Cito por el texto de la *Biblia de Jerusalén,* Bilbao, 1967, pp. 323-324.

los. Incluso en nuestros días, como parte de una larga tradición exegética, los editores de la Biblia ven en la maldición una clara «alusión a la sangrienta muerte de Amón, de Absalón y de Adonías, los tres hijos de David» [29]. De igual modo, estos sangrientos sucesos aparecen, una y otra vez, vinculados a la culpa de David y a la maldición de Yahvéh en la serie de tragedias sobre el mismo tema escritas a lo largo de los siglos XVI y XVII [30]. La constancia de tales vinculaciones hace pensar, naturalmente, en la tradición exegética cristiana, de la que son reflejo las tragedias renacentistas sobre la casa y familia de David. No es arbitrario concluir que, dentro de esa misma tradición, escribía Calderón su obra y la oía el público de los «corrales», sin que fuera necesario, por tanto, aludir explícitamente al tema de la maldición incorporando como personaje al profeta Natán, pues tampoco éste ni su maldición, aunque sí la realización de sus palabras, figuran explícitamente en los capítulos que le sirvieron a Calderón de fuente para su argumento. No obstante, veremos más adelante que, especialmente hacia el final del Acto III, aunque no sólo en él, las alusiones aparecen justo en el momento dramático necesario: aquél en que David, agobiado por las catástrofes que se han ido sucediendo, reconoce —y se trata de una verdadera *anagnórisis*— la mano que le castiga, y acepta el poder invencible de Yahvéh, cuya maldición se ha cumplido y se está cumpliendo punto por punto.

De manera sorprendente, sin embargo, los críticos que se han ocupado de *Los cabellos de Absalón,* con la única excepción de Víctor Dixon, o no citan el texto de la maldición (Sloman) o, si lo

---

[29] En la *Biblia de Jerusalén,* los editores ponen esta nota al texto: «*nunca se apartará la espada de tu casa:* Alusión a la sangrienta muerte de Amnón, de Absalón y de Adonías, los tres hijos de David.»

[30] Inja-Stima Ewbauk, en su artículo ya citado, estudia obras en italiano —*David Sconsolato,* 1556—, en inglés —*The Love of King David and Fair Bethsabe, with the Tragedy of Absalon,* 1559—, en francés —*Tragedie d'Amnon et Thamar,* 1608—, y en neolatín —*Thamara,* 1611, *Amnon,* 1617—, etcétera. El estudio es, sin embargo, incompleto dentro de una perspectiva comparativista, pues ignora en absoluto el teatro español. Que en éste era común la cadena de asociaciones «pecado de David —maldición divina mediante Natán— castigo en Absalón» puede comprobarse incluso en dramas en donde el tema aparece por alusión, como, por ejemplo, en Lope, *El castigo sin venganza,* acto II, esc. 10. Para una bibliografía sobre el tema, remito al lector interesado al documentado estudio de Víctor Dixon, «El santo rey David y *Los cabellos de Absalón*», en *Hacia Calderón. Tercer Coloquio Anglogermano* [Londres, 1973], Berlín-Nueva York, 1976, pp. 84-98 .

citan, no sacan las consecuencias pertinentes (Giacoman) o afirman esto:

> To underline the importance of individual responsibility, of David's direct involvement in the tragedy which ensues, Calderón chose not to admit the famous prophecy of Natan... for to have included it would have been to suggest the influence of a superhuman agency [31].

Nada, sin embargo, tan constante en las tragedias de Calderón como la presencia de un poder trascendente, y ello, desde luego, sin menoscabo de la responsabilidad individual de cada uno de los personajes mayores.

Según es típico de Calderón en el tipo de tragedia que aquí consideramos, la acción entera del drama está ambiguamente predicha mediante un vaticinio. Como en alguna de las grandes tragedias griegas, la acción total del drama no consiste, básicamente, en la invención de sucesos nuevos e inesperados para el espectador, sino en la muestra de cómo se cumple por misteriosas vías aquello que el espectador ya sabe —porque se le ha anunciado desde el arranque del drama.

El vaticinio en la obra que nos ocupa se encuentra un poco antes del final del Acto I. Como es lógico, la significación de una escena no dimana sólo de su propio contenido, sino también del lugar que ocupa entre las otras escenas y de su relación con ellas. Calderón la ha situado justo después que Amón ha cedido a su pasión, pero antes del acto de violación. Es indudable que tal colocación supone un propósito estructural por parte del dramaturgo, puesto que así, y no de otra manera, ha decidido construir su pieza. ¿Por qué, pues, ahí? Este porqué exige, empero, la respuesta previa a otro porqué de mayor amplitud: ¿por qué esa escena?

En ella se vaticina por boca de la pitonisa Teuca [32] el destino

---

[31] «Para subrayar la importancia de la responsabilidad individual, de la participación directa de David en el drama subsecuente, Calderón elige no admitir la famosa profecía de Natán [...], pues haberla incluido habría sido sugerir la influencia de un agente superhumano»; Edwards, art. cit., p. 225.

[32] La Teuca del Acto I es un personaje nuevo, inventado por Calderón. La del Acto II procede de la Laureta del Acto III de *La venganza de Tamar,* y la del Acto III de la mujer de Técoa del texto bíblico (II *Samuel,* 14), de donde recibe el nombre que Calderón le da. Al igual que en la Biblia, provoca el perdón de Absalón por David (III, 359-362). La contradicción

de cada uno de los personajes masculinos del drama, con excepción de David y de Amón, que están ausentes. Tres de esos personajes son príncipes, hijos de David, los otros tres ocupan altos puestos. Cuando la acción termine, se habrá cumplido cuanto Teuca anunció, exactamente como en el texto bíblico se cumple la profecía de Natán. Dentro de la economía del drama calderoniano, la función vaticinadora de Teuca es equivalente a la función de Natán en el texto bíblico. La diferencia está en que, frente al contenido ambiguo y no particularizado de la maldición de Natán, el contenido de los vaticinios de Teuca es particularizado y asociado a nombres individuales, lo cual, naturalmente, deriva de la misma tradición exegética, igualmente conocida por el dramaturgo y su público, en la que los contenidos de la maldición de Natán ya habían sido conectados con los protagonistas y los sucesos ocurridos en la casa de David. Esos sucesos futuros, desplegados en el relato-fuente, pero no acaecidos todavía en el Acto I de la tragedia, son conectados por Calderón con un espíritu superior que «anticipa sucesos malos o buenos» (I, 304) por boca de Teuca, como por boca de Natán los había anticipado Yahvéh. Como consecuencia, los acontecimientos que el drama va a ir mostrando son inscritos, por virtud de esta escena, en un nivel de trascendencia donde están englobadas y dotadas de misteriosa resonancia cada una de las conductas individuales.

Por otra parte, la figura dramática y la condición de personaje de la pitonisa son creados por Calderón de modo muy particular. Teuca es una mujer poseída y brutalmente sacudida —como la Casandra de la *Orestiada*— por el espíritu que de ella se ampara para lanzar sus terribles vaticinios. Enloquecida, según Calderón la muestra, por el espíritu que la habita, prorrumpe en estridentes gritos, arranca sus cabellos, desgarra sus vestiduras, provocando el asombro de quienes la escuchan sin entender el sentido de sus misteriosas palabras. A la vez, en esta escena clave, construida según ese esquema de doble nivel antes mencionado, nos muestra Calderón, en la reacción de cada uno de los personajes ante las terribles y extrañas palabras de la pitonisa, sus personalidades básicas, hasta entonces ocultas, y —cosa importante en la estructura de la acción trágica— funda, según hemos dicho, el carácter inexo-

---

entre la Teuca del Acto I y la Teuca del Acto III es expresada por el mismo personaje en unos versos de una escena posterior (III, 371). Sobre esa contradicción, vid. Dixon, art. cit., p. 93, nota 49.

rable de cuanto va a ocurrir a las *dramatis personae* implicadas en la escena.

Ahora bien, ¿quién es ese espíritu que se ampara de Teuca? Según Semeí, que la ha traído, Teuca es

> *esa divina etiopisa*
> *en cuyo bárbaro acento*
> *un espíritu anticipa*
> *sucesos malos o buenos* (I, 303-304).

David, que se niega a escucharla, la llamma agorera [33], añadiendo:

> *Dios habla por sus Profetas;*
> *el demonio, como opuesto*
> *a las verdades de Dios,*
> *habla apoderado en pechos*
> *tiranamente oprimidos...* (I, 304).

Jonadab, el criado de Amón, con función a veces de gracioso, la asocia también con el diablo (III, 359, 371 y 372) [34]. Y la propia Teuca dice estar aposentado en su pecho espíritu menos noble que el que en el pecho de David se encuentra (I, 304-305), y afirma,

---

[33] Dixon, art. cit., p. 93, escribe sobre este pasaje: «Como siempre, el dramaturgo profesa un esceptismo ortodoxo frente a los 'agoreros'. 'Dios habla por sus profetas', dice David, pensando, para mí al menos, en las profecías de Natán. Sabemos siempre, no obstante, que las profecías 'falsas' se cumplirán aunque no, muchas veces, como piensan sus intérpretes —y en el presente caso, si conocemos la historia sagrada, sabemos incluso cómo.» A lo que habría que añadir lo que sobre los falsos profetas escriben los editores de la *Biblia de Jerusalén:* «Son... un grupo numeroso de extáticos turbulentos, pero hablan en nombre de Yahvéh. Y si bien en este caso era falsa su pretensión, es cierto que el Yahvismo antiguo reconoció la legitimidad del profetismo como institución. Junto a Samuel aparecen hermandades de inspirados, I *S* 10, *5:*19, *20...* Excitados por la música, I *S* 10, *5,* estos profetas entraban en trance colectivo que luego se contagiaba a los asistentes ... En el curso de estas acciones o fuera de las mismas, se conducen a veces de un modo extraño y pueden pasar por estados sicológicos anormales; pero estas manifestaciones extraordinarias nunca constituyen lo esencial en los profetas cuya actuación y palabras ha conservado la Biblia.» Ob. cit., «Introducción a los Profetas», p. 981.

[34] La asociación por parte de Jonadab entre Teuca y el Diablo forma parte de la convención tipificadora de la figura del gracioso. La misma asociación se produce, por ejemplo, en el gracioso de *El caballero de Olmedo,* de Lope.

en el Acto III, después que por su intercesión se han hecho las paces entre Absalón y David:

> *Si el espíritu grande que ha vivido*
> *en mí, espíritu de odio y de ira ha sido,*
> *de rencor y discordia,*
> *¿cómo viene de hacer esta concordia*
> *de Absalón y de David?* (III, 371).

Sin embargo, cuando todo se haya cumplido según sus vaticinios, exclamará:

> *¡Cumplió su promesa el Cielo!* (III, 405).

Verso puesto a continuación, y haciendo eco, al de Joab en el momento de matar a Absalón (III, 404) y al de Absalón:

> *¡Yo muero*
> *puesto, como el Cielo quiso,*
> *en alto por los cabellos...!* (III, 404).

Además de las razones aducidas por Dixon, la contradicción en los textos citados obedece también a la voluntad de ambigüedad por parte del dramaturgo, ambigüedad que radica en la naturaleza misteriosa y oscura de todo vaticinio y del poder superior, terrible siempre, que a través de él se inserta en el mundo de las criaturas. En sentido lato, esa ambigüedad puede predicarse como la ley estructural de toda escena de manifestación de lo sobrenatural, cualquiera que sea su cauce o modo de encarnación en el drama occidental, pues responde, profundamente, al carácter de lo numinoso [35].

En el texto bíblico, el fin de los personajes había sido previsto por el Dios de Israel en un pasado anterior al tiempo en que se desarrolla la acción de la tragedia calderoniana, en ese pasado en que la cólera de Yahvéh maldijo a David y le anunció el castigo que asolaría su casa. Esa maldición, particularizada en sus conse-

[35] Vid., por ejemplo, los clásicos libros de Rudolph Otto, *Lo santo,* Madrid, 1965 [2], especialmente pp. 16-48 y 107-118; y G. Van Der Leeuw, *Fenomenología de la religión,* México-Buenos Aires, 1964, especialmente pp. 212-217 y 607-612.

cuencias o efectos, se inserta en la tragedia mediante los vaticinios de Teuca, siendo ésta el correlato dramático de Natán, y el espíritu que la dicta el correlato dramático de la cólera de Yahvéh. Sólo que, estribado en la teología del amor consustancial a la concepción cristiana de la Divinidad, Calderón disocia de la Santidad de Dios el Espíritu de la cólera de Yahvéh, que la concepción hebrea de la Divinidad veía fundidos en Ella, pues la Cólera de Yahvéh reflejaba la conciencia del pecador ante la Santidad [36]. La cólera divina que maldice a David por boca de Natán es transformada por Calderón en ese espíritu «de odio y de ira», «de rencor y discordia», que se asocia con el Demonio. Aunque ese sea el espíritu aposentado en el pecho de Teuca, representa, sin embargo, la voluntad del Cielo que cumplirá «su promesa».

Colocada la escena del vaticinio entre el consentimiento de Amón a su pasión y la violación de Tamar, la acción de Amón queda tácitamente enlazada a las acciones anunciadas y cumplidas más tarde, pues éstas la suponen implícitamente, ya que su cumplimiento presupone la violación de Tamar por Amón, primero de los actos, al que seguirán los otros, anunciados en la maldición del profeta Natán.

3. Absalón o la ambición de reinar

En *La venganza de Tamar,* a la violación de ésta, al final del Acto II, seguía en el Acto III —¿el escrito por Calderón, según la hipótesis de Alfredo Rodríguez López-Vázquez?— el proceso dramático que conducía a la muerte sangrienta de Amón a manos de Absalón, escena con la que daba fin la obra. Junto al motivo de la venganza como móvil de la conducta de Absalón, aparecían también, aunque sin conexión dramática con los dos actos previos, otros dos motivos: hacer justicia a Tamar, ya que David no la hacía al perdonar a Amón, y satisfacer su ambición. Estos motivos dotaban a Absalón, como personaje dramático, de una profundidad y una complejidad de que carecía en los dos primeros actos, y añadían a la acción una nueva dimensión no motivada en los actos anteriores, pero tampoco desarrollada en todas sus consecuencias,

---

[36] Vid., además del libro citado de Van Der Leeuw, Paul Ricoeur, *Finitud y culpabilidad,* Madrid, 1969, pp. 316-325.

pues la tragedia terminaba con la muerte de Amón, antes, por tanto, de que esa nueva profundidad y complejidad del personaje y esa nueva dimensión de la acción pudiera dar sus frutos dramáticos. En cambio, ese mismo Acto III de *La venganza de Tamar,* al convertirse en Acto II de *Los cabellos de Absalón,* alcanza todo su pleno sentido dramático, realiza, como acto, todas sus virtualidades, y adquiere fuerte coherencia como parte funcional de una nueva estructura formal y semántica. La ambición de Absalón, motivada ahora en el Acto I, no es ya una nueva e inesperada fuerza, a la postre gratuita y no usada, sino fuerza rectora de la conducta de Absalón, la cual es desarrollada y alcanza su plenitud de significado. Absalón, personaje dramáticamente incompleto en *La venganza de Tamar,* obtiene toda su estatura de *dramatis personae* en *Los cabellos de Absalón,* como si, en tanto que personaje, encontrara, por fin, la verdadera tragedia a la que pertenece. Del mismo modo, todos los signos de acción, de situación o de personaje referidos a Absalón, o al sistema de relaciones Absalón/David, que, en el Acto III de *La venganza de Tamar,* quedaban como aislados o abortados en sus posibilidades teatrales, al ser conectados, como Acto II de *Los cabellos de Absalón,* con los elementos que los preceden o los siguen en el sistema trágico calderoniano, reciben y trasmiten toda una nueva energía simbolizante que los transforma en otros de los que eran, en términos tanto de función como de significación dramáticas. En conclusión, el personaje de Absalón y la relación Absalón/David del último acto de *La venganza de Tamar* sólo en *Los cabellos de Absalón* llegan a existir con plenitud dramática, pues sólo en el espacio de la tragedia de la casa de David adquieren su cabal identidad. Se tenga o no se tenga a Calderón por autor del Acto III de *La venganza,* lo cierto es que sólo Calderón es el creador del personaje Absalón de *Los cabellos de Absalón,* y es aquí, en el sistema dramático en el que llega a ser el que es, donde debe ser estudiado, sin necesidad de referirlo al Acto III de *La venganza de Tamar.*

La ambición de reinar como fuerza rectora de las acciones de Absalón aparece muy pronto en el Acto I y es reiterada en dos escenas posteriores del mismo acto. Su primera aparición ocurre al terminar la escena en que David, acompañado de sus hijos, ha ido a visitar a Amón en su cuarto para averiguar cuál es la causa del mal que le aqueja. Cuando Tamar expresa su pena por las tristezas de Amón, Absalón le dice en un *aparte* «Yo, no», siguiéndole este breve diálogo:

TAMAR: *Absalón, ¿eso dices?*

ABSALÓN: *Sí, que es heredero heroico*
de David; y si él muere,
quedo yo más cerca al solio;
que a quien aspira a reinar
cada hermano es un estorbo.

TAMAR: *Aunque su muerte sintiera,*
me holgara verte en su trono;
que, en efecto, tú y yo hermanos
de padre y madre somos (I, 283-384).

El segundo momento se encuentra en la escena que sigue a la de los vaticinios de Teuca. Absalón, centrado en su vanidad y en su conciencia del éxito que su hermosura —especialmente sus hermosos cabellos— le procura entre las damas de la corte, interpreta el vaticinio —«que te ha de ver tu ambición//en alto por los cabellos» (I, 306)— como anuncio de la realización de su ambición:

Pues, siendo así que yo amado
soy de todos, bien infiero
que esta adoración común
resulte en que todo el pueblo
para Rey suyo me aclame,
cuando se divida el reino
en los hijos de David.
Luego justamente infiero,
pues que mis cabellos son
de mi hermosura primeros
acreedores, que a ellos deba
el verme en tan alto puesto;
y, así, vendré a estar entonces
en alto por los cabellos (I, 307-308).

Esta interpretación del vaticinio, fundada en la pasión rectora que sirve de eje dramático en la configuración del personaje, pasión que, a su vez, constituye el fundamento del error de interpretación de ese personaje, entra en colisión con las otras interpretaciones que los demás personajes dan a los vaticinios —a los propios y a los ajenos— y determina, motivándola interiormente, el curso de la acción trágica. En el caso particular de Absalón, en esta escena, la interpretación provoca la reacción de Salomón, la cual, a su vez hace emerger en el diálogo el tema, fundamental para la intelección de la configuración trágica de la acción calderoniana, de la culpa de David. Dice Absalón, en respuesta a la crítica de Salomón:

No serás tú, por lo menos,
reliquia de dos delitos,
homicidio y adulterio.
Hablen Betsabé y Urías,
una incasta y otro muerto (I, 308).

Además de la relación estructural entre el vaticinio de Teuca y la culpa de David *(homicidio* y *adulterio),* encontramos también predicada implícitamente en esta importante escena una conexión entre la ambición de reinar de Absalón y la culpa de David, conexión que arroja toda su luz sobre el tercer momento de expresión explícita del motivo de la ambición en la escena consecutiva a ésta que comentamos, en donde se introduce el tema de la conspiración de Absalón y Aquitofel (I, 310), conspiración comenzada aún antes de que se produzca la violación de Tamar por Amón, adelantando así las acciones más tarde cumplidas.

Algo parece estarse larvando en la casa de David, algo que enfrenta a los hermanos entre sí, aunque sólo por la palabra, algo que estaba ya presente en la primera escena y hacía brotar en ella, en medio de las alabanzas por la victoria de David, un extraño malestar, visible cuando, al preguntar el Rey por su hijo Amón, los otros hijos, uno tras otro, rehúyen contestar. Algo que no está en las palabras, pero que parece presidir la atmósfera de esta escena de preguntas sin respuestas. Algo que sólo Teuca percibirá cuando, entrando en trance, enlace la negación de David a construir el templo y su admonición a los hijos a ser piadosos [37] —sig-

[37] Dice David a Semeí, que le anuncia la llegada de los materiales para la construcción del templo:

los materiales que traes
se guarden, porque no es tiempo
que la fábrica se empiece;

nos ambos de su conciencia de culpa y de su temor por las acciones de los hijos— con el futuro de sacrilegios y homicidios que pronto va a estallar en la casa de David, y cuya señal desencadenante será la violencia sexual de Amón en su hermana Tamar. Violencia que en Calderón se dobla, además, de un significativo desafío sacrílego a la Divinidad:

> TAMAR: ... *daré voces al Cielo.*
> AMÓN: *El Cielo responde tarde* (I, 315).

Por virtud de esas tres breves escenas del Acto I, el Acto II adquiere extraordinaria coherencia dentro de la acción global de la tragedia de la casa de David, estableciendo asimismo una sólida base estructural para las acciones del Acto III. En *Los cabellos de Absalón,* el motivo de la venganza aparecerá en el Acto II como móvil instrumental, no central, al servicio de la ambición de reinar del bello hijo de David.

La atmósfera de malestar, de internas tensiones entre los hermanos, de larvadas pulsiones y sentimientos que podía adivinarse en el seno de la familia real de Israel, empiezan a salir a la luz del día en el segundo acto. Es, precisamente, en ese enrarecido ambiente creado por el acto primero, cristalizado en las últimas palabras ominosas pronunciadas por Amón [38], en donde tienen su raíz, y del que dimanan su lógica dramática, la escena de la disputa

---

que yo labrar no merezco
casa a Dios. Quien me suceda
la fabricará. Con esto,
que aprendáis a ser piadosos,
hijos míos, os advierto;
pues el gran Dios no permite
que yo fabrique su templo,
porque manchadas las manos
de sangre idólatra tengo (I, 304).

[38] TAMAR: *Pues daré voces al cielo.*
ABSALÓN: *El cielo responde tarde.*
TAMAR: *Pues matarte este acero* (Sácale la espada y huye)
si me sigues, porque yo
fuerza mucha y valor tengo.
AMÓN: *Al sacarla me has herido;*
y, aunque puede ser agüero,
ya no temo cosa alguna
cuando esta violencia intento (I, 315-316).

entre Adonías y Absalón y la espléndida escena en la que éste es sorprendido por David ciñéndose la corona de Israel.

La escena de la disputa por el poder (II, 320-323), enlazada, a mi juicio, de modo típicamente calderoniano con la última réplica de Tamar (II, 320), además de relanzar el tema de la ambición y de completar el retrato de Absalón mediante la reiteración de la relación entre su ambición y su narcisismo, relación ya predicada, según vimos, en la escena de la disputa entre Absalón y Salomón (I, 307-408), nos prepara para captar el nuevo sistema de relaciones en donde se anudan en Absalón, tras el planto de Tamar ante su padre y sus hermanos, los motivos de la venganza y la ambición, primero (II, 327), y de la justicia y la ambición, después, en respuesta al perdón de Amón por David (II, 330).

La escena de la corona está dramáticamente fundada en ese nuevo sistema de relaciones (violación/venganza/justicia) cuyo eje es Absalón, y cuya lógica, por relación a su origen (la ambición), se encuentra en el primer acto. Al mismo tiempo, la escena de la corona sirve de fundación a las acciones del tercer acto, sin las cuales su sentido último queda truncado, es decir, *irrealizado.* Desde un punto de vista estrictamente de construcción dramática, la escena de la corona supone el Acto I y exige el Acto III. Sin el uno y sin el otro, pierde su función y su necesidad. Vale la pena detenerse unos instantes en ella.

Absalón, escondido, ha sido testigo del perdón otorgado por David a Amón. Al deseo de venganza une ahora la decisión de hacer justicia, pues percibe a su padre como cegado por «la pasión de amor». Su propia ambición, anterior a la violación y al perdón del violador, queda ahora justificada por la culpa de Amón, transformándose en legítima aspiración a reinar, pues, dice:

No es bien que reine en el mundo
quien no reina en su apetito...

Y añade, en frase bifronte muy calderoniana, en la que se unen, en dialéctica tensión, el «derecho» a reinar, fundado en la propia satisfacción y en el delito de Amón:

en mi dicha y su delito
todo mi derecho fundo.

Animado por esta «política» convicción, fundada subjetivamente en el propio gusto y objetivamente en el delito del primogénito, de su derecho a reinar, decide hablar al Rey para despertarle —dice— del sueño «en que ha podido hechizarle Amor» (II, 330). En lugar del Rey, encuentra la «corona sobre un bufete». Dada la ausencia, prácticamente, de decorado, la presencia súbita de la corona, descubierta por el gesto del actor al retirar una cortina, adquiere relieve y significación particular en el espacio escénico. Su valor simbólico es inmediatamente explicitado por la palabra y por el gesto del personaje, los cuales, apoyándose una al otro, confieren a esta escena cierto carácter ritual. Absalón, fascinado por la corona, se siente por ella convidado a reinar, invitación en la que ve la confirmación de su profundo y antiguo deseo, para establecer inmediatamente una relación de identificación entre objeto y deseo expresado en la autoasociación metafórica oro (corona)//oro (cabello de Absalón) y la disociación oro (corona)//hierro (yerro de Amón). A esta fase de preparación y aproximación al objeto sacralizado, sigue —recalcado por el gesto: «toma la corona»— el diálogo reverencial con el objeto personificado, signo del poder y de la realeza, y su final investidura, marcado de nuevo por el gesto («pónesela»). Gesto, cuya solemnidad simbólica marcaba, sin duda, el actor mientras pronunciaba estas palabras en las que se efectúa la cópula identificadora entre el sujeto y el objeto:

> *Bien está; vendréisme, así,*
> *nacida, y no digo mal,*
> *pues nací de sangre real,*
> *y Vos nacéis para mí* (II, 331).

Cumplida la investidura del poder, Absalón afirma su decisión de destruir las fuerzas que se opongan o hagan peligrar la unión simbólica representada. Decisión que cumplirá al final del acto (muerte de Amón) e intentará cumplir a lo largo del acto siguiente, cuya materia arranca de ese medio verso de Absalón («Matar a mi padre»), que David completa, entrando súbitamente, con su pregunta: «¿A quién»?, de la que el tercer acto será la respuesta en acción [39].

---

[39] Igualmente remiten a las acciones desarrolladas en el Acto III las últimas palabras pronunciadas por Absalón en el Acto II, justo después del

Sin embargo, como una prueba más de la unidad entre el Acto II y el III, esta escena de la corona tendrá su complemento, a manera de dos tablas de un díptico, en la otra escena de la corona del Acto III, en la que, en exacto y significativo paralelismo o concordancia asociativa con la del Acto II, volverá el dramaturgo a reproducir idéntica acción escénica, según puede verse en la acotación misma: «*Corre una cortina,* descúbrese durmiendo a David: *en un bufete está una corona de oro*» (subrayado mío) (III, 381). Las palabras del Rey David, todavía más significativamente, responden a las citadas de Absalón:

> ABSALÓN: *Matar a mi padre...* (II, 331).
> DAVID: *¡Hijo, no me des la muerte!* (III, 381).

En el tercer acto Calderón sigue el hilo de la historia de Absalón según el relato bíblico (II, Samuel, 14-1/19-5), en el cual éste, endurecido por su ambición de reinar, se opone por las armas a su padre, buscando ceñir en sus sienes la corona de David. Cada uno de los actos del Absalón calderoniano lo muestran poseído por su ambición, de donde dimanan su cinismo y su endurecimiento (III, 368), su sacrílega crueldad (III, 389-390) y su ausencia de toda piedad para con el rey su padre (III, 401).

La muerte de Absalón, fruto de su ambición, reiteradamente anunciada en el primero y segundo acto [40], forma parte, sin embargo, de un plan divino, superior a la voluntad de David, como veremos más adelante, cuyo ejecutor es Joab, general de los ejércitos del rey. Ciertamente que tanto Amón como Absalón son responsables por sus acciones culpables, como afirman con razón Sloman y Edwards, y son castigados por crímenes individuales, pero

---

asesinato de Amón, palabras que también figuraban en *La venganza de Tamar.*

> ABSALÓN: *Heredar el trono trato* (Venganza: «reino»).
> TAMAR: *Guíente los cielos bellos* (Venganza: «déntenle»).
> ABSALÓN: *Amigos tengo y por ellos,*
> *como dijo Teuca ayer* (Venganza: «como dijo la mujer»).
> *todo Israel me ha de ver*
> *en alto por los cabellos* (II, 357).

También, como ya señaló Sloman (ob. cit., pp. 106-107) —*pero no sólo,* como se ve por los textos que he citado—, remiten al Acto III los seis versos finales con que termina el Acto II de *Los cabellos,* en sustitución de los cuatro del Acto III de *La venganza.*

[40] I, 306, 307, 308; II, 334, 335, 346, 351.

no es menos cierto que, en la tragedia de Calderón, esas acciones y esos crímenes que como individuos cometen forman parte de un plan superior a sus propias voluntades individuales. Lo que da su misteriosa profundidad y su sustancia trágica a *Los cabellos de Absalón,* como se la daba al texto bíblico, es esa intersección de la voluntad individual con la voluntad divina.

Las últimas palabras que Absalón pronuncia, antes de morir alanceado por Joab, mientras cuelga por los cabellos enredados en la rama de una encina, son el reconocimiento de esa voluntad:

> *¡Yo muero*
> *puesto, como el Cielo quiso,*
> *en alto por los cabellos,*
> *sin el cielo y sin la tierra,*
> *entre la tierra y el cielo!* (III, 404).

4. David, arquetipo de héroe sufriente

Cada uno de los actos culpables de los personajes de la tragedia encuentra en David como respuesta el perdón, pero no por causa de una debilidad de carácter, sino por otra razón que trasciende el nivel puramente psicológico, razón en la que Calderón funda la dimensión trágica de las acciones de David, y que conviene elucidar en cada uno de los casos concretos en que responde a la ofensa con el perdón.

En el caso de Amón, la lucha entre el amor al hijo y el deber de hacer justicia se resuelve en un breve monólogo (II, 328), que refleja el debate interior entre el amor de padre y el deber de rey, típico del teatro español desde Guillén de Castro hasta Rojas Zorrilla, en la decisión de castigar al «príncipe violador», decisión reiterada una segunda vez de modo todavía más drástico, en una breve sentencia: «Pero muera» (II, 329). Si no cumple esta sentencia, y perdona la violenta acción de Amón, no es sólo porque, debilitado por su amor paterno, pueda más en él el amor de padre que la justicia de rey, sino porque, fundado en su conciencia culpable, actualiza su propia culpa pasada, que le valió la cólera y la maldición de Yahvéh, pero también su perdón:

> *Adulterio y homicidio,*
> *siendo tal, me perdonó*

el Justo Juez, porque dije
un pequé de corazón.
Venció en El a la justicia
la piedad; su imagen soy (II, 324).

Este perdón, sin embargo, de cuya razón sólo es testigo el espectador, es interpretado por Absalón como un acto de injusticia y como una debilidad del padre, a quien acusa —según vimos— de estar cegado por «la pasión de amor» (II, 330), y genera en él el resentimiento y el deseo de vengar a Tamar, deseo, como ya indicamos, puesto al servicio de su ambición de reinar.

A Absalón le perdonará el homicidio de su hermano Amón, después de haberse negado a hacerlo, manteniéndolo apartado de su presencia, para cumplir en él la misma sentencia de «justa piedad» dictada en otro caso:

Ya lo dije
y ya conozco que es fuerza
que, un hijo muerto, otro vivo,
llore uno y otro defienda;
que si el uno se perdió,
nada el enojo remedia
y es justo amparar al otro,
porque entrambos no se pierdan (III, 363).

Ahora bien, en el acto mismo del perdón otorgado a Absalón, después de explicarle que su resistencia al perdón no fue porque en él no cupiera

valor para perdonarte
mayores inobediencias,
sino porque temo más
las por hacer que las hechas,
según las cosas que todos
de tu condición me cuentan,

David se humilla hasta un grado realmente heroico y, a primera vista, incomprensible:

Seamos, Absalón, amigos:
con amorosas contiendas,
con lágrimas te lo pido;

y si no fuera indecencia
de esta púrpura, estas canas,
hoy a tus plantas me vieras
humildemente postrado,
pidiéndote, puesto a ellas,
pues te quiero como padre,
que como hijo me obedezcas (III, 367-368).

Más tarde, perseguido en el monte por las tropas de Absalón, que respondió al perdón de David con la insurrección, el Rey, en un breve soliloquio, exclama, apostrofando a su hijo:

No lloro padecer tu error impío,
mas lloro que no seas castigado
de Dios; a Él estas lágrimas envío
en nombre tuyo, porque perdonado
quedes de la ambición que a esto te indujo (III, 396).

Más aún, cuando Cusay anuncia a David que Absalón se ha coronado en Jerusalén y ha atentado contra su honor «violando...», David no le deja terminar la frase (Absalón ha mandado violar a las mujeres de su padre, tal como había sido profetizado por Natán). No le deja terminar la frase porque imagina cuál es la acción cometida. ¿Cómo, nos preguntamos, podía imaginar acción tan terrible, si no es porque está presente en su conciencia la maldición, única razón para que el dramaturgo no termine la frase? Por esa misma razón David exclamará:

No lo quiero saber, porque no quiero
que el dolor a decir, ¡ay Dios!, me obligue
alguna maldición, pues aún espero
que el Cielo le perdone y no castigue.

Y, en seguida añade:

¡Ay Dios, mitigue,
Señor, vuestra justicia su castigo (III, 398).

A la cadena de males suscitados en su casa por las acciones de sus dos hijos corresponde, en el designio estructural de la tragedia, la cadena de perdones otorgados por David. Cada vez que David perdona, no es la debilidad la que le mueve a ello, sino el patético deseo de desviar con su perdón, imitando el perdón que Dios le otorgó, el castigo y la justicia de Yahvéh. La culpabilidad de los hijos, no negada, retrocede a segundo plano, ante la conciencia de su propia culpa, que no le ha abandonado, y en la que ve el origen del mal que ha invadido su casa, mal vaticinado por el profeta Natán y actualizado en la tragedia por los vaticinios de Teuca.

Es esa misma conciencia de culpa la que lleva a David a prohibir a su general Joab matar a Absalón. Y la que le induce a perdonar a Semeí, de la casa enemiga de Saúl, cuando aquél le apedrea, «pues —dice David— apedrearme es justo mi vasallo» (III, 397), y la que le hace detener a Cusay, fiel vasallo que quiere castigar la acción de Semeí, diciéndole:

No lo pretendas,
y pues yo le perdono, no lo ofendas.
¡Ay, Semeí!, no de mi vista huyas,
que palabra te doy de no vengarme
en mi vida de ti y las iras tuyas.
Ministro eres de Dios que a castigarme
envía, y pues son justicias suyas,
en mi vida de ti no he de quejarme (III, 397).

Estas palabras del Rey explican, dentro de la economía total de la obra, su conducta desde la primera escena, en que David se acuita de las tristezas de Amón, y la raíz de su perdón a los dos hijos y a todos sus ofensores.

Antes de perdonar a Semeí y de reconocer en esa acción las justicias de Dios, aquél maldice a David como culpable de todos los padecimientos, como responsable en el origen de todos los males que asolan la casa de Israel, y que el dramaturgo ha acumulado en el Acto III («Malhaya quien a padecer nos trajo», dice Semeí, III, 396), a lo que responde David:

Tienes razón; pero maldice al hado,
no a mí, pues que la culpa yo no he sido,
sino el hado (III, 396-397).

¡Extrañas palabras! Sobre todo si consideramos que éstas van seguidas inmediatamente por otras en las que David reconoce estar pagando «la pena merecida». El episodio de Semeí, su perdón por David y el reconocimiento de ser Dios quien le envía para castigarlo los toma Calderón de *II Samuel,* 16, 5-13, donde no figuran las extrañas palabras citadas. Estas palabras, a las que los críticos que se han ocupado de *Los cabellos de Absalón* no han prestado ninguna atención, me parecen constituir la piedra angular de la visión trágica de nuestro dramaturgo y exigen una interpretación. Si David, por un lado, acepta ser apedreado como un acto de la justicia de Dios, que le castiga por sus crímenes pasados, a los que enlaza las acciones de sus hijos y los males levantados en su casa, por otro, no acepta la maldición de Semeí que le acusa de ser el único culpable de los padecimientos actuales, pues de esos padecimientos —la guerra y la sangre derramada por la insurrección de Absalón al que se ha referido en el verso anterior a la maldición de Semeí— no es él el único responsable, sino el hado. Hado que, según ya indiqué en la introducción, seguía conservando, en el interior de su interpretación cristiana, las connotaciones de la palabra latina *fatum:* «orden inevitable de las cosas». Ese orden es asociado a la voluntad divina, pero se cumple mediante la intervención de la libertad humana. Situado en la encrucijada trágica, en donde se manifiesta la paradoja —piedra de toque de toda visión trágica— de la conjunción de la voluntad divina y la libertad humana, David se reconoce culpable y no culpable. Culpable en el origen —de ahí, su perdón a cada uno de los hijos—, no es culpable de las acciones de éstos, acciones, sin embargo, que asocia con la maldición divina, lo cual explica el dolor de David por cada uno de sus hijos. La formulación de ese dolor la da el propio David, cuando, queriendo evitar el enfrentamiento entre sus hijos en el campo de batalla, exclama:

Si os veo peligrar, hijos queridos,
nueva guerra daréis a mis sentidos;
pues si de todas partes considero
mis hijos en la lid, es cosa clara
que buen suceso para mí no espero,
pues el brazo que tira, el que repara,
uno es el mismo; y, así, con un acero
vendré a morir en confusión tan rara,
si cualquier golpe contra mí se ofrece,
siendo persona que hace y que padece (III, 399).

Es, en efecto, este último verso el que define la condición de David como héroe trágico, pues él es la persona *que hace y que padece,* culpable y víctima a la vez.

En cada uno de los actos que se van cumpliendo contra su voluntad y a pesar de su amor y su perdón, ve David el castigo de Dios y sus justicias. David no quiere la muerte de Absalón, pero Absalón debe morir. Joab no debe matarlo, pero Joab lo matará [41], como Semeí debe apedrear a David. Actos ya vaticinados por Teuca, actualizadora en la tragedia, según ya dijimos, de la maldición, anterior al tiempo concreto de la tragedia, pero inserta en el verdadero tiempo trágico. David, mediante ese reconocimiento de su condición de culpable y de víctima, fundamento de la paradoja trágica, enlaza cada una de las acciones libres de quienes le ofenden, así como la catástrofe final a que esas acciones inexorablemente le conducen, con la maldición divina, con su propia conciencia de culpa original y con la libertad humana.

Impotente y libre, víctima y culpable, nada ha podido contra el Dios de Israel, aunque haya intentado patéticamente, con su amor y su perdón, desviar castigo y justicia divinos. Es más, su actitud de perdón, única arma de que disponía, ha ayudado a la realización de acciones que merecen el castigo, y por las cuales la justicia de Yahvéh no es arbitraria, sino merecida por cada personaje. Pero todas esas acciones, férreamente encadenadas, tienen en David su unidad y su sentido últimos, pues el conflicto trágico se sitúa, a la vez, en dos planos: entre el padre y sus hijos, y entre David y su casa y el Dios de Israel.

El dolor y el saber trágicos del Rey, que el dramaturgo hace

---

[41] En *La sibila del Oriente,* en donde vuelven a aparecer tres de los personajes de *Los cabellos de Absalón* —Salomón, Semeí y Joab—, este último explica así a Salomón la muerte de Absalón:

seguí a Absalón, y fiel
quise hacer lo que ordenó
tu padre, pues me ordenó
que le mirase por él.
Vile del tronco pendiente,
un racional bruto hecho;
y de santo celo ardiente
movido, le pasé el pecho,
desesperado y valiente.
El error fue de una acción,
el impulso fue del Cielo,
la culpa de la ocasión... (acto III, p. 728).

Si, en *Los cabellos,* David perdona a Joab, en *La sibila,* Salomón lo condenará. Cito por la edición de Ángel Valbuena Briones, Calderón, *Dramas,* I, Madrid, 1959.

irrumpir a lo largo del Acto III y que alcanzan toda su intensidad y su profundidad trágicas en las escenas del monte, en las que David, «persona que hace y que padece», vive el momento supremo de la anagnórisis («pague la pena merecida», III, 397), dan al personaje calderoniano su estatura de héroe trágico, e iluminan el sentido profundo de la obra, cuya riqueza trágica queda amputada si sólo se atiende a uno de sus niveles, el humano de las responsabilidades individuales.

David, el vencedor de la escena primera y el vencedor de la escena última, ha sido vencido por la Divinidad. La tragedia puede cerrarse así, plena de coherencia poética y dramática, con estos versos finales:

Y, ahora, no alegres salvas,
roncos, sí, tristes acentos,
esta victoria publiquen,
a Jerusalén volviendo,
más que vencedor, vencido.

La libertad de cada uno de los personajes, fuente de su responsabilidad y de su culpa, aparece en la tragedia calderoniana dialécticamente trabada —con esa dialéctica consustancial a la tragedia como visión del mundo desde los griegos hasta el Barroco— a la maldición divina, anterior a la acción, pero inserta en ella por los vaticinios de Teuca. Una vez más, Calderón muestra que, en el conflicto entre el poder divino y el poder humano, la voluntad divina se cumple siempre, no contra la libertad humana, sino a través de ella, único núcleo trágico de la tragedia cristiana de la libertad y el destino.

3. La tragedia del Rey Enrique VIII

1. Concentración de signos: el sueño y las cartas

La acotación inicial de *La cisma* reza así: «Tocan chirimías, y córrese una cortina, aparece el Rey Enrique durmiendo; delante, una mesa, con recado de escribir, y, a un lado, Ana Bolena. Y dice el Rey entre sueños.»

Lo que el espectador ve u oye no es sólo al Rey Enrique soñando o las palabras que dice en sueños, sino el contenido mismo de su sueño dramatizado en el espacio escénico, como un pequeño drama en el interior del drama. La concentración de signos auditivos (música de chirimías), signos visuales (la súbita aparición de dos personajes al fondo de la escena al descorrerse una cortina, los objetos investidos de una función simbólica concreta: mesa y recado de escribir), y signos verbales (palabras de dos personajes del sueño que sueña uno de ellos), portadores de significaciones simultáneamente actuantes sobre el espectador, es la primera marca distintiva, en el arranque mismo de la acción, de la madurez técnica del dramaturgo, capaz de suministrar, con extraordinaria economía de recursos dramáticos, informaciones cuyos significados latentes irán siendo desvelados a medida que la lógica interna de la acción vaya desdoblando y desarrollando todas las posibilidades implícitas en la escena inicial.

El sueño, materializado escénicamente, crea una situación básica de oposición conflictiva entre dos personajes, uno de los cuales es el propio soñador, sujeto de su propio soñar, y una hermosa mujer, con apariencia de sombra, que amenaza destruir o nulificar la acción de escribir en que el primero se encuentra empeñado. Las palabras con que el Rey apostrofa a la bella mujer tienen un doble sentido; uno inmediato, puramente físico, y otro simbólico, más tarde revelado, pero que funda, ya desde el mismo principio, y es esta fundación de sentido su primera función dramática, el significado profundo de la relación entre los dos personajes:

> *Tente, sombra divina, imagen bella,*
> *Sol eclipsado, deslucida estrella.*
> *Mira que al Sol ofendes*
> *cuando borrar tanto esplendor pretendes.*
> *¿Por qué contra mi pecho airada vives?* (I, 1-5) [42].

El primer sentido, el físico, se refiere obviamente al carácter fantasmagórico, de sombra, de la bella aparición; el segundo, investido en casi cada una de las palabras —verbos *(tente, mira, ofendes, borrar, pretendes),* adjetivos participiales *(eclipsado, deslucida),* preposiciones *(contra)* y en cada metáfora *(sol eclipsado, deslucida estrella, al sol ofendes, borrar tanto esplendor)*—, anuncia el destino y la función del desconocido y hermoso fantasma, así como las consecuencias que su intervención tendrá en la vida y el

[42] Cito por mi edición de *La cisma de Inglaterra,* Madrid, Castalia, 1981.

reinado del soñador. «Sol» y «estrella», por su belleza, será «eclipsada» y «deslucida», y ofenderá al «Sol» de la Monarquía y la Iglesia, borrando el esplendor de ambas. El sueño de Enrique es la primera de las formas de explicitación del Hado que anuncia, misteriosa y ambiguamente, cuanto va a ocurrir, al mismo tiempo, según comprobaremos en seguida, que produce angustia y terror en el Rey y expresa una oculta disposición, un estado de ánimo subconsciente en Enrique, raíz de las grandes mudanzas que está a punto de sufrir.

El sueño [43], en su brevísima duración, condensa magistralmente el curso entero de la acción, constituyendo su núcleo dinámico, en donde están contenidos el principio y el fin de aquélla, cuya trayectoria lo cumplirá punto por punto. El Hado, que el sueño explicita, además de introducir en el drama el nivel de trascendencia, funciona, en el plano de la construcción de la acción, como la unidad estructural básica de configuración dramática de la tragedia, pues de él parten para volver a él las peripecias múltiples por las que los personajes cumplen su destino. Núcleo del sentido trascendente de la acción trágica y de su unidad estructural, el Hado produce también —según ya indicamos— el efecto de intensificar el suspense y determina el carácter circular de la acción. Esta circularidad de la acción constituye, por otra parte, una de las más puras técnicas de construcción dramática barroca de Calderón.

---

[43] En su estudio sobre el sueño en la tragedia griega (R. Lenning, *Traum und Simestraüchung bei Aeschylos, Sophocles, Euripides,* Diss., Tubingen, 1969; tomo la cita de Guy Rachet, *La tragédie grecque,* París, 1973, p. 178) establece el autor la siguiente clasificación que vale la pena retener: Los sueños se manifiestan: *a)* bajo una forma exterior, o *b)* bajo una forma interior. En *a)* un ser aparece en el sueño a fin de dar al durmiente una orden o una advertencia. En *b)* el durmiente ve escenas en las que aparecen uno o varios personajes o incluso un objeto simbólico que se revela a sus ojos. En esta categoría entran las alucinaciones o las visiones proféticas. En ambos casos un *más allá* que se manifiesta en el sueño se inserta en el mundo de los vivientes. Este sueño requiere una interpretación simbólica más o menos compleja. La «aparición» produce o es la expresión de un *estado* de angustia o de miedo. Como veremos, en *La cisma* se combinan las dos formas y se expresa la reacción de horror del durmiente. Vid. también la «Introducción general» en George Devereux, *Dreams in Greek Tragedy,* Berkeley y Los Ángeles, University of California Press, 1976. Vid., para Calderón y el Barroco, *El sueño y su representación en el barroco español,* ed. Dinko Cvitanovic, Bahía Blança, Universidad Nacional del Sur, 1969. Para el tema del sueño en Calderón, vid. Alfredo Rodríguez López-Vázquez, *Tres estudios sobre Calderón,* Université de Haute Bretagne, 1978.

El despertar del Rey coincide con la entrada en escena de Volseo, coincidencia que no carece de sentido, sino que lo crea, pues la simultaneidad del despertar y de la llegada del Cardenal refleja el plan estructural del dramaturgo. Volseo no sólo enlaza el sueño y la realidad, sino que influye decisivamente en la relación entre ambos de dos modos: dirigiendo la interpretación del sueño e introduciendo las cartas que van a reforzar la ominosa premonición contenida en el sueño.

Podría parecer, en una lectura apresurada, que Calderón incurre en redundancia al hacer contar al Rey el sueño que el espectador conoce ya. El largo parlamento de Enrique (I, 15-128) cumple, sin embargo, varias funciones importantes, además de la puramente expositiva. Temáticamente, se divide en tres partes. En la primera (vv. 17-64), tras dos versos que resaltan sucintamente el estado emocional en que el Rey se encuentra a consecuencia del sueño, se dan al espectador informaciones pertenecientes al pasado, pero de gran pertinencia para el futuro: 1) Que Enrique VIII, hijo de Enrique VII, subió al trono por «muerte violenta» de su hermano Arturo, heredando no sólo la corona de Inglaterra, sino la mujer de su hermano, la Reina Catalina. 2) La alta opinión y estima de Enrique por la «santa y bella» Catalina, hija de los Reyes Católicos. 3) Su boda con Catalina, por especial dispensa del Papa Julio II, al que tiene también en la mayor estima («vice-Dios en su Iglesia», V. 56) como católico y sumiso hijo de la Iglesia; y 4) El nacimiento, fruto de la «feliz unión», de la Infanta doña María, a la que declara nombrar por su «legítima heredera». En la segunda (vv. 65-91), Enrique se presenta a sí mismo como campeón de la Iglesia, que combate, no con armas, sino con sus escritos contra Lutero y sus errores, a la vez que declara como «legítima, santa y cuerda» la dispensa del Papa que permitió su matrimonio con Catalina. Sin embargo, en el Acto II, Enrique repudiará a Catalina, romperá con la Iglesia y desheredará a su hija María. En la tercera (vv. 92-128), expresa reiteradamente el horror, la angustia y la confusión en que el sueño le ha sumido, a la vez que, muy sutilmente, el dramaturgo sugiere que el sueño es no sólo causa del conturbado estado de ánimo del Rey, sino efecto o, tal vez más exactamente, revelación de una disposición subconsciente, donde aflora, desde el subsuelo de su personalidad básica, la raíz de la pasión que lo definirá como personaje:

... Oye, que aquí empieza
el horror de más espanto,
el prodigio de más fuerza,
que entre las sombras del sueño
imágenes dio a la idea (I, 92-96).

Es este último verso el que me hace pensar en el sueño como manifestación sensible de una «idea», en sentido platónico, anterior y preexistente a su cristalización en «las imágenes», sombras sólo, soñadas. Podría apoyar esta interpretación la aclaración hecha por el Rey al contar su sueño, aclaración que, además de aportar una información nueva, desconocida para el espectador, sirve para enlazar temáticamente los signos concentrados en la escena del sueño con los nuevos signos introducidos en la escena siguiente, la de las cartas. La aclaración nos deja saber que Enrique estaba escribiendo sobre el sacramento del matrimonio —el « ¡ay de mí! », con que remata el verso es índice, escueto, pero significativo, de los inconfesados temores del Rey— y que su mano izquierda iba borrando cuanto escribía la derecha. Al poner en relación la única frase pronunciada por la bella y amenazante sombra del sueño —«Yo tengo que borrar cuanto tú escribes» (v. 6)— con la declaración del Rey, se hace patente la profunda conexión establecida por el dramaturgo entre la mujer del sueño y el Rey: aquélla actuará como agente productor de la mudanza radical de Enrique VIII. Mudanza que causará su tragedia y la del Reino, pero, al mismo tiempo, esa mudanza será imputable al mismo Enrique, quien, con sus actos, frutos de su pasión y del nuevo rumbo de vida, borrará sus actos anteriores que, hasta el momento del sueño, han definido su vida de hijo obediente de la Iglesia y de esposo amante de Catalina, en que su fama estaba cimentada.

El largo parlamento del Rey, además de expresar el estado de conmoción en que éste se encuentra, ilumina los distintos niveles de significación del sueño: en relación con el personaje advierte un peligro, anuncia una mudanza radical y revela el fondo del subconsciente del soñador. Y en relación con la acción funciona como su principio estructurante.

Las cartas del Papa y de Lutero, de que es portador Volseo, son inmediatamente puestas en relación con el sueño por el propio Enrique:

Si fuera lícito dar
al sueño interpretación
vieras que estas cartas son
lo que acabo de soñar
La mano con que escribía
era la derecha, y era
la doctrina verdadera
que celoso defendía;
aquesto la carta muestra
del Pontífice. Y querer
deslucir y deshacer
yo con la mano siniestra
su luz bien dice que lleno
de confusiones vería
juntos la noche y el día,
la triaca y el veneno.
Mas por decir mi grandeza
cúya la victoria es
baje Lutero a mis pies
y León suba a mi cabeza (I, 141-160).

La interpretación religiosa —de política religiosa— del sueño, ya sugerida en el parlamento del Rey, alcanza ahora su máxima claridad en la conciencia de Enrique: la mano derecha, que escribía sobre el sacramento del matrimonio, representa la recta actitud, asociada a la doctrina verdadera de la Iglesia, de la que Enrique ha sido el campeón; la mano izquierda, que contradice y se opone a la doctrina de la Iglesia, y que es asociada al fantasma de Ana —todavía desconocido para el Rey y para el espectador— y a la carta de Lutero, representa, anunciándolo, el cambio de dirección de esa política religiosa y la mudanza del Rey. Cambio de dirección y mudanza que introducirán la confusión, sin eliminar las opciones del bien y el mal (día y noche, triaca y veneno), pues a Enrique VIII, según veremos más tarde, al igual que a los otros héroes trágicos de Calderón, le caracteriza como héroe la lucidez de la conciencia que conoce lo bueno y lo malo y que, en consecuencia, elige libremente, con plena responsabilidad, en contra de su razón, el camino de la pasión.

Esta oposición entre razón y pasión, entre el bien y la verdad vistos y el mal y el error obrados, núcleo de la dialéctica de la libertad humana, es lo significado por el error del trueque de las cartas: poner la del Papa a los pies y la de Lutero sobre la cabeza [44]. Equivocación a la que reacciona inmediatamente el Rey, manifestando el mismo terror de la escena anterior:

> *otro prodigio, otro agüero*
> *me amenaza. ¡Muerto soy!*
> *¡Santos cielos! ¿Qué ha de ser*
> *lo que hoy me ha de suceder?* (I, 168-171).

A las «señas» del sueño se une esta nueva señal para intensificar el carácter ominoso, creador de suspense, de los signos acumulados por el dramaturgo en el arranque del drama.

Volseo, el consolador, rechaza el sentido amenazador de los signos, tranquilizando la turbada conciencia de Enrique, asumiendo su participación en el trueque de las cartas, que le entregó mal «por error». La oración disyuntiva con que cierra su breve intervención («trocarlas yo por error//o entenderlas tú al revés», I, 183-184), predica, como en fórmula, el sentido de la relación entre ambos personajes: las acciones e intenciones erróneas de Volseo serán entendidas al revés por el Rey. No porque éste no vea, sino porque no quiere ver. El consuelo que Enrique confiesa recibir de las palabras del Cardenal no corresponden a su verdadero estado de ánimo, según muestran las palabras con que el Rey abandona la escena: «Triste estoy» (I, 212).

Al final de este primer segmento dramático, merced a la maestría técnica de la concentración de signos, los datos fundamentales del conflicto están completos, y su cumplimiento depende del libre juego de las acciones de los personajes.

2. El Cardenal Volseo y el horóscopo

En *La cisma,* el Hado se manifestará tres veces, enlazando en un común destino a los tres personajes responsables y causantes de

[44] Para el simbolismo de derecha/izquierda, arriba/abajo, vid. Alexander A. Parker, «Henry VIII in Shakespeare and Calderón. An appreciation of *La cisma de Inglaterra*», *MLR,* 43, 1948, pp. 335-352. Artículo reimpreso en Calderón, *Comedias,* vol. XIX, *Critical Studies of Calderón's Comedias,* ed. J. E. Varey, London, 1973, pp. 47-77. Las próximas citas se hacen sobre esta reimpresión.

la tragedia. Si su primera forma de explicitación fue el sueño del Rey, su segunda forma de aparición dramática será el horóscopo.

Calderón utiliza el monólogo —primero de los cinco que asignará a Volseo, frente a los cuatro de Enrique y los dos de Ana— con funciones paralelas a las del parlamento del Rey: expositiva-informativa y expresiva de sentimientos ocultos. A medida que la acción avance y las situaciones dramáticas se carguen de conflictividad, el monólogo expresará las tensiones internas de los personajes, adoptando la estructura dialéctica típica de los mejores monólogos calderonianos, expresivos de la división interior de la conciencia y de la elección, tras el intenso debate entre distintas opciones, que determinará las acciones particulares del personaje y el curso global de la acción del drama. En este primer monólogo (I, 213-252), introduce el dramaturgo tres temas fundamentales que, posteriormente, alcanzarán su pleno desarrollo: el tema de la humildad de cuna del Cardenal, el tema de la ambición y el tema del horóscopo. Lo interesante, aparte del interés que cada uno por separado tiene, es la relación de causa a efecto entre los tres, relación que viene dada en su mismo distribución u organización en la construcción del monólogo. Éste se abre mediante el enlace establecido por Volseo entre la conciencia de su humilde nacimiento y bajo origen —conciencia que no le abandonará, como veremos más tarde— y la satisfacción, implícita en la construcción sintáctica de los cuatro primeros versos («aunque» ... «subiendo»), del estado alcanzado, estado que no es todavía el último escalón al que su ambición le hace aspirar. Ambición —marca distintiva de su carácter— que piensa satisfacer mediante la táctica que juzga más adecuada: la lisonja. Esta conexión entre baja ascendencia y alta ambición aparece, a su vez, conectada estructuralmente al horóscopo de un astrólogo —en el segundo monólogo este astrólogo será identificado con el ayo que le crió (I, 691-693)—, el cual le dijo que sirviese al Rey como medio para alcanzar tan alto estado que excediese a su deseo, y que debía guardarse de una mujer que sería su destrucción. Con pareja economía de recursos dramáticos, muestra de la maestría técnica del Calderón maduro como dramaturgo, que en la escena inicial del sueño, el personaje, en el mismo acto de comunicación del horóscopo, núcleo configurador de todas sus acciones, nos libera su psicología profunda y la raíz de todas sus motivaciones y modos de actuación: su servicio al Rey, no sólo el por venir, sino en el pasado, anterior al comienzo del drama que le ha llevado al alto estado en que se encuentra, será y ha sido puramente instrumental, originado en la ambición de que el horóscopo es causa y efecto, a la vez, pues éste queda situado en el pasado, pero sigue actuando hacia el futuro. Al mismo tiempo, aunque esto sólo lo descubramos mucho más tarde, cumplida la trayectoria vital del personaje, la contradicción entre el sentido del horóscopo y el de su modo de comunicación, es decir, el contenido del mensaje y de su forma de recepción y emisión, va siendo puntuado por la ironía trágica que el dramaturgo aloja en el plan mismo de su obra, cuya unidad semántica, llegados al final del drama, podremos ver a plena luz. Las sucesivas contradicciones entre el contenido del Hado y su interpretación por los personajes van tejiendo la cadena trágica que vertebra la acción. Según ésta avanza, la distancia entre la distinta percepción del sentido de estas contradicciones por parte del espectador y por parte de los personajes se va haciendo más profunda, intensificando así la emoción estética —el famoso placer trágico— que el espectáculo de la falibilidad de la condición humana produce en quienes la contemplan *in fieri,* sucediendo en escena, sin poder desviarla o interrumpirla, conscientes del proceso fatal, en curso de cumplimiento, generado en el centro mismo operativo de la libertad individual. Ese proceso comienza para Volseo en este primer monólogo en el que inciden ya, como en cifra, la interpretación del contenido del Hado, interpretación fundada y fundadora de la pasión rectora del personaje, y la ironía trágica en donde estalla ya, como una luz fugaz, la contradicción implícita entre el contenido del Hado, el verdadero, y su interpretación, que lo oculta dándole otro. La semilla de error —error de juicio, fundado en la pasión de alzarse al más alto estado— crecerá hasta convertirse en frondoso árbol —valga la metáfora— del que acabará colgado el Cardenal Volseo, alcanzando «tan alto lugar» que exceda a sus deseos (I, 229-230).

3. Dos puntos de vista: Tomás Boleno y Carlos

Como es bien sabido, pero olvidado con frecuencia en la lectura de gabinete de un texto dramático, el gesto, el ademán y la entonación del actor son tan importantes en su valor de signo como las palabras del personaje que encarnan. Son aquéllos, y no sólo éstas, quienes comunican al espectador informaciones de primera importancia sobre el carácter, las intenciones o los móviles ocultos del personaje, y es a partir de la interrelación entre signos gestuales, tonales y lingüísticos como el personaje impone su existencia concreta en el espacio escénico, sugiriendo más de lo que dice o, incluso, algo distinto de lo que dicen sus palabras. Las últimas proferidas por Volseo antes de salir de escena multiplican las referencias a la índole y temple que le caracterizan por virtud de la actuación del actor, que con su actitud corporal y su estilo de dicción, su modo de andar al salir de escena, de mirar y de hablar a los otros personajes, debía con toda seguridad marcar la arrogancia y la soberbia del Cardenal, arrogancia y soberbia que deberían contrastar, haciéndolo todavía más significativo, con el estilo lisonjero adoptado por el mismo personaje cuando se dirigía al Rey. Ese dual modo de actuar físicamente suministraba al espectador las bases para juzgar la conducta del personaje, más acá o más allá de sus palabras, o para dotar a éstas de un significado que trascendía su propio contenido, captando así, a la vez, lo que en él era auténtico o falso, rostro o máscara, verdad o hipocresía. Este conocimiento del personaje, adquirido directamente por la actuación del actor, y no sólo por las frases encomendadas al personaje, es corroborado o certificado por los comentarios u observaciones que sobre él hacen los otros personajes.

En efecto, apenas Volseo sale de escena, Tomás Boleno lo define como la vanidad, la soberbia o la arrogancia misma (I, 259-263), predicadas como un modo de ser, y no sólo como vicios o defectos. El mismo personaje establece el contraste entre el Cardenal y el Rey, a quien define como prudente, advertido, docto y sabio, advirtiendo de paso —y paso importante— el influjo del primero sobre el segundo. Se trata, naturalmente, de un punto de vista, pero un punto de vista que establece, por primera vez para el espectador, una posible perspectiva para entender, si éste acepta el punto de vista, la razón de la mudanza del Rey, cuando ésta se produzca, ligándola a la influencia de Volseo.

Al mismo tiempo Tomás Boleno nos informa acerca de sí mismo, destacando como nota definitoria de su personalidad el sentido del honor, cuatro veces reiterado en su uso del vocablo clave «honrar» (I, 277, 287, 290 y 295). Esta información respecto a la conciencia que de sí mismo tiene Tomás, tendrá que ser cuestionada más tarde, en la escena final del Acto II, según veremos. Por el momento, Tomás es aceptado como hombre de honor.

El segundo punto de vista, no sobre Volseo, sino sobre Ana Bolena, nos lo da Carlos, embajador del Rey de Francia, en misión oficial en la Corte inglesa, y enamorado de Ana, a la que ha cortejado en Francia, de donde ésta acaba de llegar con su padre, Tomás Boleno. A Ana la conoce y no la conoce el espectador. La conoce porque la ha visto fugazmente como la «sombra divina» y amenazadora del sueño del Rey; y no la conoce porque todavía no la ha identificado como Ana Bolena, hija de Tomás.

Calderón asigna a Carlos un larguísimo parlamento (I, 333-444) en endecasílabos estructurado en octavas reales, forma métrica que realza elegantemente el tema amoroso y que, de acuerdo con Lope, hace lucir por extremo las relaciones [45]. Siendo mínima la información recibida en tan largo parlamento —su encuentro con Ana en París y los avatares de su enamoramiento y su cortejo— es la expresión lírica de los sentimientos de Carlos y de las circunstancias de la pasión amorosa y la expresión poemática, rica en metáforas, imágenes y símiles, que adornan los hermosos endecasílabos, quienes dominan desde el primero al último verso. Alguno de ellos (por ejemplo, 397-412), con su profunda poesía en donde se asocia líricamente el paisaje y el amor, creando un bellísimo jardín, coto paradisíaco del sentimiento amoroso, cuyo antecedente más ilustre podríamos ir a buscar en el Acto XIX de la *Tragicomedia de Calisto y Melibea,* podrían contar entre los mejores pasajes de la lírica amatoria del teatro calderoniano. El estilo elevado de que hace gala el dramaturgo, no sólo nos recuerda la condición de «poema dramático» de la pieza teatral barroca, esencial tanto para el autor como para el público, sino que nos remite a los comentarios del Pinciano sobre la definición aristotélica de la tragedia, en la «que la oración sea hermosa y sin aspereza», pues «las metáforas son más a propósito para la tragedia» [46]. La importancia del ornato lírico se corresponde en esta tragedia, como veremos más tarde, con la importancia de lo que el Pinciano llamaba «imitación música» e «imitación tripudiante, que así se dize la que se haze baylando y danzando» [47].

Con la presentación de la belleza cautivadora de Ana, mediante la belleza cautivadora de los versos que la expresan como si la fun-

---

[45] *Arte nuevo de hacer comedias,* verso 310.

[46] López Pinciano, *Philosophia antigua poética,* ed. A. Carballo Picazo, Madrid, 1953, II, p. 310.

[47] *Ibid.,* I, p. 242.

ción dramática de éstos fuera provocar en el espectador la participación en el estado de encantamiento del personaje del amante, contrasta drásticamente con el breve parlamento en versos octosílabos que sigue. Carlos nos informa, sin metáforas ni ornato lírico alguno, sino muy directamente, de la vanidad, la ambición, la arrogancia y la presunción de Ana e, incluso, de su posible, aunque secreto, luteranismo.

La información que de Ana recibimos, de boca de su propio amante, la empareja con la que, directa e indirectamente, recibimos de Volseo, e influye, antes de que aparezca en escena, nuestra percepción de espectadores. Puestos en guardia contra ella, queda enlazada con Volseo, enlace cuyas consecuencias entenderemos mucho más tarde. Cara al público, la función, específicamente dramática, de estos dos puntos de vista sobre dos personajes clave de la tragedia, es la de crear un principio de distanciamiento entre ellos y el espectador, distanciamiento que influye nuestra percepción de sus palabras y de sus actos, y nos permite captar el sentido interior de las situación y de la acción, a la vez que nos hace receptivos a la ironía trágica subyacente en palabras, actos, situaciones y acción.

4. El Bufón Pasquín y su profecía

«Sale Pasquín vestido ridículamente», indica la acotación que precede su entrada en escena. Lo ridículo en el vestir se acompaña de las primeras palabras que dice, en las que introduce una nota de desvalor y de grotesco en nociones tan serias como las de «razón, justicia y ley», valores que los personajes nobles van a conculcar y a escarnecer con sus acciones, aunque cínicamente apelen a ellas. Sin duda el actor que hiciera su papel, debía de marcar, acentuándolo con gestos, ademanes y entonación, la dimensión desvalorizadora del ridículo asignada por el dramaturgo al traje y a la palabra. Y, sin embargo, esa primera connotación de ridículo de que es portador el personaje contrasta drásticamente con la seriedad, la gravedad y la trascendencia de sentido que Pasquín aporta al universo dramático configurado por el resto de sus intervenciones. Su rasgo distintivo como personaje teatral es, precisamente, esa contradicción o, a lo menos, ese contraste entre su apariencia y su modo de actuación bufonescos y su función dramática, y es esa oposición dialéctica entre forma y sustancia, entre estilo y significado lo que otorga al personaje su riquísima teatralidad, al igual que sucede con los bufones de Shakespeare, pues, como señala con gran agudeza Jean Kott, «la bufonería no es sólo filosofía, sino igualmente teatro» [48].

La locura de Pasquín no es una enfermedad ni una anomalía cómica, como no lo es en los locos de Cervantes o en los bufones de Shakespeare, sino un disfraz como su vestido, con valor de signo, para cuya interpretación el dramaturgo siembra o implanta toda una serie de pistas. Pasquín no es un loco que ignora su propia locura, haciéndonos reír a los espectadores y haciendo reír a los demás personajes, sino que asume y representa para los demás, bufonescamente, su papel de loco, papel que ni desdice ni estorba el papel que los demás representan en serio en la Corte, papel mediante el que actúa como una especie de *doble* desenmascarador de la falsa cordura de otros personajes, como el Rey o Volseo, por ejemplo, con los que es asociado por alusión apenas entra en escena:

> *¡Que un Rey, que es tan singular,*
> *se deje lisonjear*
> *de locos y truhanes!* (I, 474-476).

Es la locura de los grandes, que disfrazan sus pasiones y sus móviles, so capa de razón, justicia y ley, lo que el bufón descubre, sacando a luz sus contradicciones. En un mundo —el de la Corte— en donde nadie aparenta lo que es, en donde todos —con excepción de la Reina— ocultan a los demás su verdadero ser tras la máscara de la apariencia adoptada como papel —lo que Pasquín llamará «figura»—, éste se define a sí mismo, definiendo su función, como «denunciador de figuras» (II, 981-982). Pasquín, que fue hombre docto y dotado de juicio (I, 565-566) —nuevo *doble* anticipador de la figura del Rey— ha tenido que perderlo, o actuar como si lo hubiera perdido, para hacer ver «con sus locuras» la verdad que los cuerdos no ven, o no quieren ver, pues sólo al que es tenido por loco se le permite decir la verdad que sería intolerable en la boca del cuerdo [49]. La locura de

[48] *Shakespeare, notre contemporain,* París, 1965, p. 164.

[49] Dice Pasquín, dirigiéndose a la Reina:

> *Si no digo lo que quiero*
> *¿de qué me sirve ser loco?* (I, 561-562).

Sobre la locura y el loco literarios en España, vid. Martine Bigeard, *La*

Pasquín es, en efecto, una filosofía, no sólo implícita y posible de deducir por el espectador, sino, aquí, explícita y meridianamente expresada por el propio personaje, quien, aplicando el cuento-parábola que acaba de contar (el ciego que en la noche camina con una luz en las manos, no para ver sino para que le vean), le dice a la Reina:

Yo soy ciego (aplico el cuento)
Y si me llego hacia vos,
por eso os dejó Dios
la luz del entendimiento.
Apartad si estoy contento
y estáis triste; y cuando estéis
alegre, no os apartéis;
porque yo con mis locuras
soy ciego y alumbro a oscuras (I, 593-601).

Es esta condición o este carácter iluminador de sus «locuras» —«decir las cosas futuras» (I, 482)— el que da valor premonitorio a la profecía de Pasquín, en la que declara a Ana el hado y el fin que el cielo tiene reservado a su hermosura. Es importante notar —y ello muestra una vez más la cuidadosa construcción de la obra y la maestría del dramaturgo— que las referencias a Ana incluidas en la profecía están fundadas en las informaciones que el espectador ha recibido sobre ella desde el arranque mismo de la acción: su presencia en el sueño del Rey, con cuya «sombra divina» la identifica apenas entra por primera vez en escena, identificación que debía provocar una fuerte emoción dramática, su vanidad, ambición, arrogancia y presunción, ya declaradas por Carlos. El efecto dramático de la profecía de Pasquín, al ser asociada por el espectador a lo que ya sabe de Ana, intensifica su actitud de distanciamiento, predisponiéndole a interpretar críticamente sus pala-

---

folie et les fous littèraires en Espagne, 1500-1650, París, Institut d'Etudes Hispaniques, 1972. En él encontrará el lector interesado abundante bibliografía. Más recientemente, vid. Francisco Márquez Villanueva, *Personajes y temas del Quijote,* Madrid, 1975, pp. 219-227. Es interesante repasar la *Crónica burlesca del emperador Carlos V,* de don Francesillo de Zúñiga. Hay edición muy reciente, con introducción y notas de Diane Pamp de Avalle Arce, Barcelona, 1981. Para el cruce de «gracioso» y «bufón», vid. el importante artículo de Edwin J. Webber, «On the Ancestry of the Gracioso», *Renaissance Drama,* V, 1972, pp. 171-190.

bras y sus acciones, a la vez que le ayuda a captar la ironía trágica implícita en las palabras con que Ana interpreta la profecía de Pasquín. Tomar por buen agüero su locura, como Ana hace, no coincide con la interpretación del espectador. Mucho menos aún cuando el espectador conoce, como conocía por ser del dominio público de la historia, el fin trágico de Ana Bolena. Ese conocimiento histórico, que el dramaturgo aprovecha magistralmente, proyecta su luz sobre el curso entero de la acción, dotando de todo su sentido a la profecía de Pasquín, pero también su función, en tanto que personaje en el interior del universo dramático en el que dice y hace. Su locura alumbra la verdad y proyecta su luz, que nadie ve, si no es el espectador, sobre las acciones de los grandes, quienes, espoleados por sus pasiones, nunca llegan a tomar conciencia de que es sólo su libertad la que va creando el curso de la necesidad, del que, llegado al final, les será imposible dar marcha atrás. Con sus bufonerías, Pasquín, único vidente en el mundo de Palacio, cuyo papel consiste en desenmascarar «figuras», va iluminando en la oscuridad del presente el sentido trágico de la libertad humana, cimiento de la dimensión trágica de la historia.

5. Catalina y Volseo

De todos los personajes de *La cisma* el de la Reina Catalina es el de mayor belleza moral. Calderón se esmera, especialmente, en dotarla de virtudes físicas y espirituales que concitan en su favor la simpatía y la admiración del espectador, predisponiéndole a identificarse con ella. De «raro entendimiento» (Pasquín, I, 646) y de excelsa pureza de alma, es el único personaje cuya cordura penetra la opacidad de la apariencia, descubriendo la falsedad y el mal oculto tras las «figuras». Pero, a diferencia de Pasquín, la verdad que descubre y proclama la hace peligrosa o enojosa y pagará por ella un precio altísimo.

Impedida su entrada a la cámara del Rey por Volseo, que se interpone entre Enrique y Catalina, le acusará de falso y lisonjero, mostrando así conocerlo como lo que es, contrastando su actitud con la del Rey, que elige lúcidamente, como veremos en su momento, renunciar a la lucidez. Frente a la lucidez culpable de Enrique, la lucidez de Catalina no admite el compromiso con la mentira ni con el interés, pues su razón no está embarazada por la pasión ni admite cegarse a sí misma contra la verdad. El conocimiento que Catalina tiene de Volseo coincide, punto por punto, con el que el espectador ha ido adquiriendo por su propia cuenta, fundado en lo que ha oído a otros personajes y, sobre todo, en lo que le ha oído al propio Volseo en su primer monólogo. Que la Reina sea capaz de haber visto, al desnudo, el ser verdadero del Cardenal, oculto a todos, pero no al espectador, testigo de excepción, es —creo— de primera importancia para entender la imagen mental que éste forma de la Reina. El espectador no sólo sabe que la Reina está en lo cierto, estableciendo así su credibilidad como personaje, sino que se identifica con ella al oírla expresar, en voz alta y cara a cara, lo que él mismo expresaría si se encontrara en su situación. En este sentido, la Reina actúa rectamente, identificados el punto de vista del personaje y el punto de vista del espectador. Por ello, disiento de la interpretación del profesor Alexander Parker, quien juzga a Catalina culpable, en cierto modo, por su falta de prudencia política y su falta de caridad, y responsable de su propia desgracia [50]. Dada la importancia del punto de vista del espectador, la reacción de la Reina a la actitud de Volseo no me parece constituir un caso de error o una imprudencia por su parte, sino la primera muestra de la pureza, la autenticidad y la dignidad que caracterizan a Catalina, y de la que dimanan su coherencia y su ejemplaridad como personaje dramático.

Naturalmente las consecuencias de este primer enfrentamiento entre Catalina y Volseo alcanzarán proporciones trágicas, pero no a causa de la actitud de la Reina, sino de la reacción de Volseo, el cual, coherente también consigo mismo como personaje, se muestra incapaz de establecer la relación de causa a efecto entre su propia conducta y el enojo de la Reina, pues no es ésta causa de aquélla, sino su efecto.

Volseo, cegado por su propia soberbia, según muestra meridianamente su segundo monólogo (I, 683-706), comete el error, a él sólo imputable, de interpretar falsamente el augurio del astrólogo/ayo. Ese perfecto enlace dramático de *hybris* y *hamartia*, constituye la fuente de todas sus acciones, cuyas consecuencias trágicas serán no sólo su final desastroso, sino la caída de Ana, las acciones del Rey, la desgracia de la Reina y la división de Reino escindido en «civil guerra», para decirlo con las propias palabras de Volseo.

---

[50] Art. cit., p. 70.

El final trágico había sido previsto desde el principio, cumplido ya en el escenario de la historia, pero no en el del drama, que despliega inexorablemente el terrible mecanismo de la necesidad que sólo puede funcionar mediante el libre juego de las conductas de los actores de la historia, cuyos errores ponen en marcha y hacen avanzar la acción como una gran máquina que los va conduciendo justo a donde no piensan ser conducidos. Es ese espectáculo de la libertad transformándose a sí misma en necesidad, núcleo trágico de la historia de *La cisma de Inglaterra,* lo que Calderón invita a ver a sus espectadores, los de su tiempo y el nuestro, expresando en él su visión trágica de la Historia y de la condición humana, libre, y, porque libre, creadora de su destino.

6. Ana Bolena

El juicio que el espectador ha formado sobre Ana está basado, como hemos señalado, en los juicios que sobre ella emiten otros personajes, directamente (Carlos) o indirectamente (Pasquín) y en la identificación entre la mujer amenazadora del sueño de Enrique y la hija de Tomás Boleno. Las tres escenas que siguen, cerrando el Acto I, están dominadas por la presencia de Ana, siendo su función la de remachar ese juicio, fundándolo no ya en la opinión de los personajes, sino en la observación, frontal y sin intermediarios, de la propia Ana, cuyas palabras y actitud nos desnudan su verdadera condición, ya avanzada por Carlos: la soberbia, la envidia y el disimulo.

El breve, pero enjundioso diálogo con Tomás Boleno, nos revela a Ana de cuerpo entero. Irrespetuosa y desconsiderada con su padre, al que responde destempladamente, deja aflorar en sus palabras la violenta raíz de su personalidad que, fundada en profundísima soberbia, no admite que nadie le sea superior y siente como una humillación tener que doblar la rodilla ante la majestad de los reyes. La respuesta de Tomás Boleno, preñada de velada amenaza y de anuncio de un futuro sangriento, más tarde cumplido literalmente, engrosan la ominosidad de los signos adversos que permean las escenas anteriores, intensificando la atmósfera de funesta expectación que desde el principio del drama se cierne, cada vez más espesa, sobre los personajes.

La adversa luz que esta escena arroja sobre Ana y su condición tiñe la siguiente entre Ana y Carlos, imposibilitando en el espectador confiar en la verdad del amor que los conceptos amorosos de los dos enamorados destilan.

La escena final, en que por primera vez, no ya en el sueño, sino en la realidad, se encuentran frente a frente Enrique y Ana, remite constantemente a la primera escena, fundiéndolas mediante la nueva condensación de signos cargados de incierto futuro, materializados dramáticamente en la tensión —medias palabras, apartes, disimulo— que domina la relación entre los cuatro personajes mayores: Ana, Enrique, Volseo y Catalina. Es una escena dominada por el silencio de la incomunicación: los personajes apenas si dialogan entre sí, ocupados en hablarse a sí mismos, ocultando a los demás lo que piensan o sienten. Sólo el espectador oye, en el interior del silencio, el sonoro fluir de las conciencias y entiende la ironía de las palabras últimas con que termina el acto:

> *Con muy favorable estrella,*
> *Bolena, en palacio entráis.*
> *Ruego al Cielo que salgáis,*
> *que es lo que importa, con ella* (I, 905-908).

La fuerza dramática y la riqueza de significados implícitos en esta escena final proceden, en buena medida, de la técnica de construcción circular de la acción, a que aludimos anteriormente, de la que Calderón es maestro indiscutible entre los dramaturgos barrocos. Durante todo el acto, Calderón ha diferido el encuentro en el plano real entre Enrique y Ana. Cuando éste, por fin, se produce, el espectador, que lo estaba esperando —y esa espera intensifica su capacidad de recepción— interpreta su sentido desde la constelación de signos de que era portadora la escena inicial del sueño. Es esa superposición de los dos planos semánticos del encuentro —el soñado y el real— el que le permite captar, desde la dialéctica de la circularidad, la experiencia *vital* de Enrique VIII, marcada por una intensa turbación —reiterada por una acotación («y el Rey, en viendo a Ana Bolena, se turba», I, 440) y por una frase del personaje («*¿Otra vez,* alma os turbáis?», I, 850)— y definida por la división de la conciencia, distendida entre el mundo del sueño y el mundo de la vigilia, distensión que origina la cadena de opuestos que el discurso explicita:

Ésta es la misma que hoy
alma de mi sueño ha sido.
Pues ahora no estoy dormido;
despierto estoy, vivo estoy.
¿Quién eres? ¿Cómo te nombras,
mujer, que deidad pareces
y con beldad me enterneces,
si con agüeros me asombras?
Entre luces y entre sombras
causas gusto y das horror;
entre piedad y rigor
me enamoras y me espantas;
y, al fin, entre dichas tantas
te tengo miedo y amor (I, 855-868).

Es, precisamente, esta experiencia vivida de la división de la conciencia de Enrique la que va a constituirse en núcleo dramático de la acción del Acto II, cuyo eje temático, de donde parten y a donde confluyen todas las fuerzas en conflicto, es el proceso de mudanza del Rey, causa y efecto, a la vez, de la conjunción trágica de la libertad y el destino.

7. VOLSEO, EL TENTADOR

Falta de sosiego y de discurso, tristeza y melancolía embargan el ánimo del Rey, que no halla gusto en nada ni en nadie, si no es en Ana Bolena. La palabra clave, definitoria de la esfera psicológico-afectiva en que se mueve Enrique, es el *gusto,* vocablo reiterado una y otra vez en las tres primeras escenas del Acto II. Desde el gusto reacciona, favorable o desfavorablemente, a las personas que le rodean. Al *gusto* se opone lo *justo,* cuya encarnación escénica personifica la Reina. Definido así el sistema de valores, con sus dos polos opuestos, desde el que se invita a juzgar las acciones de los personajes, el espectador posee las reglas de hermenéutica precisas para interpretar el juego escénico. El dramaturgo introduce, además, en el interior del espacio de la Corte el punto de vista objetivo, por distanciado, cuyo representante es el Bufón Pasquín. Su intervención invita a enfocar la atención del espectador en dos temas concretos, dramáticamente relacionados entre sí: los límites de la condición humana personificados en la Realeza y, de nuevo, la Corte, como el espacio de la apariencia. El primer tema, mediante el *exemplum* clásico del filósofo y del emperador Alejandro, incapaz con todo su poder de crear una humilde flor, pone de manifiesto la incapacidad del Rey como Rey para dominar sus pasiones; el segundo, concentrado en el Cardenal Volseo, su condición de «figura», es decir, la contradicción entre su ser y su apariencia. El fin a que apunta el dramaturgo, y que la misma acción dramática hará claro, es obvio: la condición de «figura» de Volseo tiene su fundamento en la condición de «figura» del Rey. Porque éste es «figura doble» («figura de dos hierros, de dos filos,//de dos haces...//figura de a dos», II, 1774-1778), puede Volseo actuar como «figura». El origen del desorden que Volseo va a introducir no está en él, sino en el Rey. Puesto en la perspectiva, forzosamente política, de la relación Rey/Privado, no ofrece ninguna duda cuál es el sentido de la actitud crítica del dramaturgo ante el problema político-histórico de la Privanza, sin que esta vez necesite recurrir al juego dramático de las sustituciones, tan importante, por ejemplo, en *La vida es sueño* [51].

Si la función más importante de Pasquín es señalar dónde está el verdadero origen del mal, su función inmediata es justificar de antemano la expulsión de Volseo por mandato de la Reina, quien explica su decisión con estas palabras:

Justas causas
me mueven. Tengo a Volseo
por lisonjero, y que entabla
más su aumento que el provecho
del reino, que sólo trata
de subir al Sol, midiendo
la soberbia y la arrogancia (II, 1086-1092).

De nuevo, la credibilidad de la Reina y la exactitud de su juicio son corroboradas y confirmadas por el conocimiento que el espectador tiene, por su condición de testigo de excepción, de acciones que la Reina y los demás personajes desconocen. El espectador, que ha visto a Volseo entablar más su aumento que el provecho del Reino, al hacer prometer al Rey que apoyará su se-

[51] Sobre este tema vid. las interesantes observaciones de Alfredo Rodríguez López-Vázquez, ob. cit., p. 121 y ss.

creta ambición de ser Papa, es el único que puede establecer la conexión trágica entre libertad y necesidad o, más exactamente, el fatal proceso de transformación de la libertad en necesidad. Desde la oposición *gusto* (esfera del Rey)//*justo* (esfera de la Reina), la máquina trágica va a ser puesta en movimiento por Volseo, el cual, si controla el principio de su movimiento no podrá controlar ni su dirección real ni su final, pues, una vez puesta en movimiento la máquina trágica, no puede el hombre controlarla.

La salida de escena de Volseo deja flotando en el aire el tema de la venganza, preparando así su entrada posterior. Su ausencia del espacio escénico no es un simple no estar, sino un estar afuera preparando lo que inmediatamente va a afectar el curso de las vidas de quienes se quedan en escena. Pero, al mismo tiempo, lo que ocurre en el espacio escénico determina lo que Volseo prepara fuera de él.

Durante su ausencia, la Reina canta la glosa de una canción, cuya letra reza:

> *En un infierno los dos,*
> *gloria habemos de tener;*
> *vos en verme padecer*
> *y yo en ver que lo véis vos* (II, 1099-1102).

La glosa anuncia simbólicamente la historia de las relaciones entre el Rey y la Reina que la intervención de Volseo precipitará antes de que el acto termine.

A la glosa de la Reina sigue la danza de Ana Bolena, que baila *La gallarda,* cayendo al terminarla a los pies del Rey, cuyos brazos la levantan, anuncio también simbólico de las nuevas relaciones entre el Rey y Ana, cuyo cumplimiento dependerá de la intervención de Volseo.

Con esta escena, en la que el canto y la danza se relacionan entre sí mediante su inserción funcional en la acción dramática, Calderón, como en general la «Comedia», actualiza, por vía estructural, la función de un importante elemento de la *Poética* aristotélica, del que se ocupó, por ejemplo, el Pinciano cuando comenta la función de la *música* y el *tripudio* en el poema dramático [52].

---

[52] Vid. *Philosophia antigua poética,* ed. cit., I, pp. 242-245; II, 305-306. Por cierto, que si el Pinciano hubiera podido ver esta tragedia de Calderón, y otras del XVII, no hubiera hecho su sarcástico comentario en II, pp. 305-306.

Igualmente, la escena siguiente, en la que Enrique VIII recibe a Carlos, embajador del Rey de Francia, y oye su embajada, impedida hasta entonces por Volseo, está conectada dramáticamente con la *activa* ausencia del Cardenal. La significación, en términos estrictamente dramáticos, de la ausencia de escena de un personaje, es, nuevamente, prueba de la extraordinaria maestría técnica del Calderón dramaturgo.

Por último, en el plano estricto de la motivación dramática, la función de estas dos escenas es la de fundamentar psicológicamente la mudanza del Rey y, desde ella, la verosimilitud del éxito fulminante del plan de Volseo, madurado en el tiempo de su ausencia física, pero no dramática, del espacio escénico.

Éste queda vacío para que entre Volseo, solo, y lo ocupe. El contraste entre la animación anterior —música, canto, danza, ceremonial de Corte— y el silencio y soledad de ahora potencian teatralmente la vuelta a escena de Volseo, intensificando plásticamente el impacto de su presencia y de su voz, destacando así la importancia de su monólogo.

El monólogo (II, 1245-1284) cumple dos de las funciones propias de esa forma escénica de comunicación: introducirnos en la conciencia del personaje, revelándonos cómo opera y cuáles son los móviles de su conducta, e informarnos del curso que va a tomar la acción. A estas dos funciones se añade una tercera, particular de este monólogo, mediante la cual el dramaturgo expresa la conexión existente entre la libertad individual y el proceso histórico. Volseo toma la decisión de vengarse de la Reina, fundando en una interpretación puramente subjetiva de sus dos experiencias de enfrentamiento con Catalina, asignándole a ésta sentimientos («pues que me aborrece», dice) que no son sino la proyección objetivada de sus propios sentimientos, los cuales, como ya señalamos, no tienen más base que su propia soberbia y ambición. Para satisfacer éstas, transpone los móviles individuales de la venganza al plano colectivo de la Historia, y decide, según confiesa, «introducir un error //el más prodigioso y nuevo», error que va a alterar no sólo el curso de unas vidas individuales, sino el curso histórico de todo un pueblo. Esta conexión entre individuo e Historia, entre pasión individual y destino histórico, constituye uno de los núcleos fundamentales del sentido trágico de *La cisma de Inglaterra,* a la vez que ilumina la profunda concepción trágica de la Historia, concepción meridianamente antideterminista, de Calderón.

Para poner en marcha su plan de venganza, cuyo sentido global debe ser entendido desde la conexión indicada entre individuo e Historia, Volseo necesitará mover los hilos de las pasiones de Ana y el Rey, pasiones que se proyectan también inexorablemente sobre la marcha del proceso histórico, en virtud de la inescapable relación dialéctica entre libertad individual y destino histórico.

La primera pieza necesaria para la puesta en marcha del plan es Ana. Para tentarla utiliza dos cebos, perfectamente sincronizados. Es el primero, llamarla «majestad» y excusarse inmediatamente del *lapsus linguae.* El efecto es inmediato; Ana pica en el anzuelo:

> *¡oyera ese nombre yo*
> *y costárame la vida!* (II, 1303-1304).

Estas palabras, plenamente coherentes con la personalidad básica de Ana, dan luz verde al Cardenal para tender el segundo cebo, a la vez que permiten al espectador captar, una vez más, la trágica ironía que contienen, ironía que intensifica el sentido trágico de la acción y produce en el espectador ese placer estético que la tragedia comunica a quien la contempla, placer donde la piedad y el temor coexisten por virtud de la colisión entre el saber y la ignorancia que une y separa la sala y la escena. Es necesario añadir que el cebo utilizado por Volseo demuestra que conoce, como el espectador, la soberbia y ambición de Ana, pero, a diferencia del espectador, ignora que, al fundar toda su esperanza en Ana para llevar adelante su plan de venganza, está poniendo la primera piedra al edificio de su propia destrucción.

El segundo cebo consiste en despertar la curiosidad de Ana para que sea ésta la que le obligue a revelarle su secreto, comprometiéndola así a guardarlo, asegurándose su total colaboración en la realización del plan, plan que es presentado como un homenaje y un servicio a la misma Ana. Volseo, maestro en el arte de tentar, remata su discurso de tentador con lo que, desde el punto de vista del personaje, puede considerarse como una pieza maestra de astucia política: formalizar, mediante juramento, la gratitud futura de Ana. Y es en este momento cuando vuelve a restallar, con mayor intensidad aún, la tremenda ironía trágica que permea con su trascendencia la situación dramática, y, desde ella, impregna el curso entero de la acción de la que es causa y origen. He aquí, a dos columnas, los dos parlamentos de Volseo y Ana, unidos por el eje de la ironía trágica que, a manera de espina dorsal, los funde entre sí:

VOLSEO

Pues tú mi reina serás.
En Inglaterra espero
coronarte, si primero
mano y palabra me das
de que no has de ser ingrata;
que temo que una mujer
mi destrucción ha de ser.
Por eso mi ingenio trata
de asegurar ese agravio
con amallas y querellas;
porque sobre las estrellas
alcanza dominio el sabio

(II, 1333-1334).

ANA

¡Plegue a Dios que cuando in-
[tente
ofensa tuya (después
que tenga el cetro a mis pies
y la corona en mi frente),
que el aplauso y el honor
que tanta dicha concierta
tristemente se convierta
en pena, llanto y dolor;
y, por fin, más lastimoso
de lo que al cielo le plugo,
muera a manos de un verdugo
en desgracia de mi esposo!
Esto juro, esto prometo

(II, 1349-1361).

La segunda pieza para llevar adelante el plan de Volseo es el Rey. El cebo será la propia Ana. El éxito de la empresa estriba en el exacto conocimiento del prójimo, y Volseo demuestra, de nuevo, dominar esa ciencia, tan necesaria para alcanzar y mantener la privanza. En su papel de maestro, informa a Ana, halagándola al asociarla a su propio saber, de aquello que le importa conocer de Enrique (que «es/hombre fácil y se ciega/tanto, que, si a querer llega,/no hay respeto ni interés/a que se rinda su amor», II, 1374-1377), y le sugiere la táctica a seguir (fingir «que le quieres, y también/que por tu sangre y tu honor/no puedes favorecerle,/y que si su esposa fueras/le amaras y le quisieras»). Que es lo que Ana hace puntualísimamente, no por devoción de discípula, sino porque necesita de Volseo y su plan para alcanzar la deslumbrante meta que éste le presenta, de pronto, como posible: ser reina.

8. El monólogo del Rey: la división

Desde el comienzo mismo del drama, no hay una sola escena en que intervenga Enrique en que éste no manifieste la turbación, el desasosiego, la tristeza y la melancolía como rasgos definitorios de su estado de ánimo. El campo léxico que define ese estado de ánimo *(turbado, confusiones, asombros, pena, tristeza, desdicha, loco, ciego, sin razón, sin seso...)* es la manifestación exterior de un proceso interior, generalmente subconsciente o preconsciente de instalación del deseo y de su progresiva posesión de la voluntad y la razón, proceso que el dramaturgo va desvelando escénicamente, paso a paso, con perfecto sentido de la gradación dramática que permite al espectador captar *in fieri* la lenta y devastadora operación oculta de la pasión en la transformación de la psique individual, motivando así, dramática a la vez que psicológicamente, la crisis, a nivel ya de la conciencia, en que el proceso termina y de la que arranca toda la acción posterior. El eje o pivote que engarza ambos procesos, partes de un proceso único, subterráneo y preconsciente primero, explícito y consciente después, es, necesariamente, la libertad humana, núcleo existencial del acontecer trágico.

Para Enrique VIII, la primera parte del proceso comenzó con un sueño, cuyos distintos niveles de significación dramática ya analizamos, y del que conviene recordar aquí su valor psicológico de fantasma o proyección del deseo subconsciente, origen del escenario del sueño. El desnivel entre la esfera del deseo y la de la realidad y sus exigencias provoca la constante tristeza y melancolía en el ánimo del Rey, quien antepone el gusto a lo justo, signo del desorden que el deseo y su transformación en pasión introduce, y manifestación de la mudanza que se está operando en el sistema de valores. Esta primera etapa del proceso termina en el instante en que el personaje experimenta el carácter posesivo de la pasión. El lenguaje utilizado por el Rey no deja duda acerca de la función enajenante y de la condición demoníaca de la pasión:

Todo el infierno junto
no padece en su llanto
pena y tormento tanto
como yo en este punto,

porque, en muerte deshecho,
si es etna el corazón, volcán el pecho.
¡Ay de mí que me abraso!
¡Ay, cielos, que me quemo!
No es de amor este extremo;
mover no puedo el paso.
Algún demonio ha sido
espíritu que en mí se ha revestido (II, 1611-1622).

La definición de la pasión mediante el elemento del fuego y su proyección simbólica, al principio y al final del discurso, en los vocablos «infierno» y «demonio», no tiene sólo valor metafórico, sino que expresa inequívocamente, en el plano existencial, una experiencia de posesión de la conciencia y de alienación de las facultades racionales y volitivas.

El significado del discurso de Enrique es idéntico, por ejemplo, aunque las palabras no sean las mismas, al discurso de Amón en *Los cabellos de Absalón*[53].

Lo expresado en ambos es el carácter posesivo y alienante de la pasión. Igualmente, en otros dramas de Calderón, aunque contextualmente distintos, cuando el personaje manifiesta, mediante la melancolía y la tristeza —ambas presentes tanto en Enrique como en Amón— la fuerza perturbadora de la pasión, aparece escénicamente objetivado como signo visible del carácter posesivo de ésta el Demonio, como le sucede, por ejemplo, a Irene en *Las cadenas del demonio* o a Cipriano en *El mágico prodigioso* o, incluso, a la misma Justina[54].

En *La cisma de Inglaterra* el papel, no teológico sino psicológico, del Demonio corresponde a Volseo, en su doble función de tentador y engañador («Llegaré descuidado; /que aquí mi engaño empieza», dice justo antes de las citadas palabras de Enrique).

La escena entre el Rey y Volseo, entre el engañador y el engañado, muestra patentemente, como en los dramas anteriormente citados, que el poder del engaño no depende del engañador, sino del engañado, el cual acepta el engaño en tanto que pura pro-

[53] Vid. *supra.*
[54] Para los pasajes a que me refiero, vid. Calderón de la Barca, *Obras Completas,* ed. A. Valbuena Briones, Madrid, 1959, I, p. 738 y pp. 830 y 835-836.

yección cumplida de su deseo, único fundamento de la resolución del conflicto dialéctico entre apariencia y realidad, entre error y verdad. Enrique no es engañado por Volseo, pero acepta el engaño como medio para realizar el deseo: deshacerse del obstáculo (Catalina) para llegar a unirse con Ana. Este proceso dialéctico de sustitución de la realidad por la apariencia y de la verdad por el error por parte de Enrique, es, naturalmente, captado por el mismo Volseo, quien, apenas lanzado el engaño («Tú estás, señor, soltero; /no fue tu matrimonio verdadero», II, 1663-1664), añade cínicamente:

> *Cuando verdad no fuera,*
> *y ciegamente tu afición quisiera*
> *deshacer la razón y la justicia,*
> *¿quién pensará de ti que fue malicia?*
> *¿Quién pensará de ti que no lo has hecho*
> *aconsejado de común provecho*
> *y tu misma conciencia?*
> *Sal del yugo, sacude la obediencia,*
> *repudia a Catalina...*
> *Sin gusto, sin amor estás casado:*
> *repúdiala, señor, pues has llegado*
> *a tan notable extremo.*
> *¿Qué tienes que temer?* (II, 1679-1694).

El cinismo de Volseo no tiene nada de gratuito ni de improvisado o inmotivado, pues está fundado, en primer lugar, en su cabal conocimiento del carácter de Enrique y de la fuerza de su pasión (a Ana se lo había definido como «hombre fácil», capaz de cegarse tanto que, para conseguir lo que quiere, salte por encima de todo respeto e interés público), pero también en el conocimiento de las dotes intelectuales del Rey, al que le sería fácil criticar racionalmente el argumento de la invalidez del matrimonio, como, en efecto, sucede; en segundo lugar, se funda en la imagen pública de Enrique como hombre docto y defensor de la fe, que nadie se atreve a cuestionar; y, en tercer lugar, en su conocimiento político del mundo de la Corte, mundo de «figuras», ya destacado por Pasquín, en donde nadie se atreverá a criticar al Rey, aunque perciban la injusticia y la sinrazón de sus actos, como, en efecto, sucederá también. El cinismo del Cardenal consiste, pues, no en creer que puede engañar a Enrique, sino en creer que éste puede engañar o tratar de engañar impunemente a los demás. Lo importante, pues, es hacerle aceptar el papel que le propone como medio de cumplir su deseo: satisfacer su pasión por Ana sin poner en peligro su imagen pública de rey docto y consciente de su deber. Si Enrique acepta el papel, Volseo podrá realizar su engaño: vengarse de Catalina. De ahí que el núcleo fundamental de su discurso esté en el verso central que organiza intencionalmente todas sus palabras, y que el actor, sin duda, debía de privilegiar en su actuación: «repudia a Catalina» (II, 1687).

A Enrique no le preocupa en absoluto el hacerlo, sino sólo el cómo hacerlo. Esta prodigiosa escena termina con dos réplicas igualmente extraordinarias:

> VOLSEO: *Llama tu Parlamento,*
> *y, junto, haz un retórico argumento*
> *diciendo que te aflige la conciencia*
> *a tomar contra el Papa esta licencia;*
> *y, mostrando que es celo aqueste intento,*
> *haz extremos, señor, de sentimiento.*
> *Apártala de ti; quedarás luego*
> *libre para apagar el vivo fuego*
> *que te abrasa; y después se tendrá modo*
> *para que el Papa lo componga todo;*
> *que yo sólo deseo*
> *tu gusto y tu salud.*
>
> REY: *Parte, Volseo,*
> *pues tú sólo procuras dar la vida*
> *a tu Rey, que la tiene ya perdida*
> *a manos de un amor desatinado.*
> *Junta los consejeros de mi Estado,*
> *porque las confusiones con que lucho*
> *nunca permiten que se piense mucho.*
> (Aparte) *Que en cosas graves siempre las disculpa*
> *la prisa con que se hacen* (II, 1697-1716).

La táctica de Volseo es la misma que utilizó con Ana: una vez seguro de que aceptan el papel que les propone, crea el escenario idóneo, tanto en función de la personalidad, privada y pública, del actor como del papel que éste desea interpretar. En realidad, Volseo posee en alto grado los talentos de un director de escena. Como tal, debe atender no sólo a la verosimilitud de la acción representada, sino a la técnica del juego escénico del actor. Tanto la una como la otra deben crear en el espectador— los miembros del Parlamento, los cortesanos— la ilusión de la verdad, pues no es la verdad, sino su ilusión, la que de veras importa en ese mundo de figuras en donde cada cual representa su papel, incluido, naturalmente, el espectador, sin cuya colaboración no hay representación posible.

De nuevo, la idea maestra que estructura internamente el escenario, la acción y los papeles de los actores construidos por Volseo es la destrucción de Catalina, a la que hay que hacer salir de escena para que la representación sea posible. Idea maestra que vuelve a ocupar el centro del discurso.

Que el Rey acepte inmediatamente el papel que Volseo le invita a representar no le exime, sin embargo, de ajustar cuentas con su propia conciencia. El debate interior del personaje es, por otra parte, no ya por relación al escenario de Volseo, sino por relación al escenario de la Historia y del Drama, pieza fundamental para la articulación de la libertad y el destino, cuya dialéctica constituye la espina dorsal de la visión trágica calderoniana.

No conozco ninguna tragedia de Calderón —tragedia de libertad/destino, tragedia de honor o tragedia de sacrificio *(El príncipe constante,* por ejemplo)— donde no se produzca ese momento capital de soledad radical del héroe trágico consigo mismo, en donde se juega la carta fundamental de su existencia, a la que están indisolublemente ligadas las existencias de los otros. Es un juego a cara y cruz, que no depende del azar, siempre rechazado por Calderón, al igual que por todos los grandes trágicos, como causa o explicación del proceso trágico, aunque forme parte de él como uno de sus ingredientes, y en donde nunca falta la lucidez de la conciencia, condición *sine qua non* del acto libre, a la vez que signo de la disponibilidad de la conciencia en el acto mismo de la elección. Es importante recordar, para no incurrir en el error de perspectiva, que es error de lectura, en que dan no pocos estudios sobre Calderón, que éste no está interesado en definir como moralista, como teólogo o como metafísico la idea de libertad, sino en plasmar, como dramaturgo, la libertad como conflicto existencialmente asumido por un personaje *situado* en una encrucijada vital en la que concurren tanto fuerzas interiores como exteriores, individuales y colectivas, de tal modo entreveradas, a manera de una red, que resulte imposible trazar una línea nítida entre lo que hay de libertad y lo que hay de destino en la misma raíz de la libertad humana, la cual no es uno de los cabos de la condición humana, de la cual sería el otro cabo el destino, o lo que llamamos tal, sino, en verdad, el nudo trágico donde los dos cabos están indisolublemente unidos no en acto, sino en potencia. La resolución del nudo, mediante el paso de la potencia al acto, constituye paradójicamente lo que llamamos tragedia si la libertad se hace a sí misma destino o no-tragedia si el destino se hace a sí mismo libertad. Estos dos polos los encarnan, respectivamente, en el universo dramático de Calderón, por no citar sino sólo dos héroes calderonianos, Enrique VIII y Segismundo. En este sentido, Calderón no está interesado en la tragedia o no-tragedia como géneros dramáticos, sino en el nudo trágico de donde arrancan igualmente la una o la otra. Por ello mismo, no puedo permitirme utilizar el término de comedia para lo que llamo no-tragedia, pues la comedia en Calderón pertenece a otro universo dramático, es decir, a otro sistema de representación de la vida humana. Tragedia y no-tragedia son las dos caras dialécticamente religadas de la representación calderoniana de su visión trágica de la condición humana. No entender esto nos condena —creo— como críticos a leer a Calderón desde fuera de Calderón: desde una teoría de los géneros dramáticos aplicada como un corsé o como una falsilla al universo trágico de Calderón. El resultado es la negación simple y pura de un Calderón trágico o el intento, que tiene algo de juego malabar, de acomodar, por reducción, por eliminación o por compresión, los dramas de Calderón al modelo crítico utilizado, modelo que tiene más de lecho de Procusto que de instrumento de interpretación, basado como está en otras formulaciones históricas de lo trágico, cristalizadas precisamente en otras formas de representación dramática como son la tragedia griega, la tragedia elisabetiana o la tragedia francesa.

Concentremos nuestra atención en el monólogo del Rey, teniendo en cuenta que éste no es una pieza aislada, con significado autónomo, sino conectada, formal y semánticamente, como parte de un todo, y, por consiguiente, funcionalmente modificada por cuanto precede y sigue. Su sentido global no está en él, sino que hay que buscarlo en el sistema de concordancias y discordancias, no necesariamente explícitas, configuradas por su relación dramática con los eslabones de la cadena dialéctica que la dinámica interna de la acción establece. El eslabón más inmediato consiste en los dos *apartes* que preceden al monólogo. En su *aparte* de dos versos («Que en cosas graves siempre las discupa//la prisa con que se hacen»), Enrique está ya invalidando, en cierto modo, la autenticidad del discurso interior que sigue, no tanto en cuanto al significado particular de sus contenidos, sino en cuanto a la relación de esos contenidos con la actitud del hablante, la cual estriba en la mala fe. El *aparte* de Volseo, además de la carga de ironía trágica que porta en sí, por virtud de su relación dialéctica con el desenlace de la acción, la cual es consecuencia indirecta de la acción emprendida por Volseo para evitar ese fin, introduce la idea de irreversibilidad del proceso en que Enrique acaba de comprometerse, proceso cuyo curso hubiera podido desviar el monólogo que sigue. Dice Volseo:

Mi vida se asegura y mi privanza,
aunque se pierda todo;
pues pienso hacer de modo
que el que engañado ahora y ciego queda,
cuando se quiera arrepentir, no pueda (II, 1718-1722).

El monólogo, haciendo eco al aparte de Volseo, empieza, precisamente, con el tema de la ceguera:

Confieso que estoy loco y estoy ciego,
pues la verdad que adoro es la que niego (II, 1723-1724).

«Locura» y «ceguera» no consisten en no ver la verdad, sino en verla y negarla, aunque no como dos actos sucesivos, sino como un solo acto escindido en su misma raíz. Todo el discurso de Enrique expresa esa división de la conciencia vivida como situación límite dentro de la cual se debate el personaje, sin poder salir de ella, no porque falle la razón, pues ésta analiza correctamente la realidad sin enmascararla o negarla, ni porque la pasión la debilite, imposibilitándole ver la verdad. Satisfacernos con la explicación —que es una autojustificación— que Enrique se da a sí mismo,

[*Bien sé que me ha engañado*
Volseo; y he quedado
de su falso argumento satisfecho;

y es que el fuego infernal que está en el pecho
hace que, ciega mi turbada idea,
niegue verdades y mentiras crea (II, 1729-1734.]

sería confundir el efecto con la causa. En realidad, lo que Enrique está diciendo es lo contrario de lo que dice, o, más exactamente, el acto mismo de decirlo es ya la negación de lo que dice, pues, si lo dice, es porque ni Volseo lo ha engañado ni ha quedado satisfecho del argumento, al que reconoce como falso, ni el «fuego infernal» del deseo le ha cegado la capacidad racional para negar la verdad y creer la mentira.

El problema no está en negar por no ver ni en ver y negar, sino en ver negando y en negar viendo, es decir, en la incapacidad de separar visión y negación, no en el nivel racional o en el nivel afectivo, sino en el nivel existencial, en el cual razón y voluntad se funden dialécticamente por contradicción. Es, precisamente, esa contradicción dialéctica, captada como *unidad dividida,* lo que constituye la esencia paradójica, forzosamente escandalosa para la razón, del núcleo trágico de la libertad. Es de este escándalo del que da fe Enrique cuando concluye, consciente a la vez de su libertad y de su impotencia:

Pero, aunque lo confieso,
faltó en mí la razón, pues faltó el seso (II, 1754-1755).

Desde este nudo, vivido como insoluble, arranca la segunda parte del proceso a que antes me referí, en que la Libertad adopta la faz del Destino. En el momento trágico en que tal transferencia se produce aparece también en el héroe trágico calderoniano la conciencia, más o menos velada, de culpa, pero culpa de una conciencia dividida que se siente a sí misma, a la vez, como sujeto y objeto de un hacer, como culpable y como víctima a la vez, pues que *hace* y *es forzado a hacer:*

Padezca Catalina
por cristiana, por santa, por divina,
sí, pues quieren los cielos
hoy acabarme...
Catalina, perdona
si quito de tus sienes la corona
para ponerla en otras, pues el Cielo

que mira tus desdichas y tu celo,
por mayor alabanza
me dará a mí castigo, a ti venganza... (II, 1756-1767).

El último verso del monólogo da testimonio de la aceptación, ya cumplida, de la transferencia Libertad-Destino:

Ésta fue mi desdicha, ésta mi estrella (II, 1771).

El *será* se ha transformado en *fue.* Esta reconversión, fulminante e inesperada, del *será* en *fue,* que rompe súbitamente la secuencia sintáctica de verbos en presente y futuro del monólogo, parece negar el tiempo épico y afirmar el tiempo mítico, sustituyendo la estructura lineal del tiempo de la historia por la estructura circular del tiempo del mito. Ese súbito cambio del *será* por el *fue,* además de expresar, desde la conciencia profunda del personaje, la fuerza compulsiva y alienante del deseo, cuya consecuencia existencial es la sustitución del principio de realidad por el principio de placer, descubre uno de los engranajes del mecanismo de transformación de la libertad en destino, el cual consiste, en esencia, en negar el principio de causalidad subvirtiéndolo mediante la inversión de los términos de la relación causa-efecto: el efecto es convertido en causa, el después en antes, la consecuencia del acto libre en «estrella»-causa.

9. La soledad de la Reina

Reunido el Parlamento, Enrique VIII, mostrando sus excelentes dotes de actor —sabe ser solemne, fingir sinceridad, turbación, sabe hasta llorar—, representa fielmente el papel que Volseo le pergeñó. Y lo representa desarrollando en su discurso los puntos centrales que Volseo le sugirió: expresar aflicción de conciencia por tener que desobedecer al Papa, insistir en su condición de Rey docto y celoso de la recta doctrina y, sobre todo, hacer extremos de sentimiento. No creo que escapara al público esa estrechísima relación temática entre el solemne discurso del Rey y los consejos de Volseo, máxime cuando la relación es tan estrecha que hasta se sigue el mismo orden. La única novedad que el Rey se permite es la coletilla con que lo cierra:

Y el vasallo que sintiere
mal, advierta temeroso
que le quitaré al instante
la cabeza de los hombros (II, 1887-1890).

Oportuna advertencia que insufla al discurso, en su final, una innegable fuerza suasoria y que ningún vasallo dejará, desde luego, caer en saco roto. Difícil es no apreciar la demoledora carga de ironía crítica que estos cuatro versos finales añaden al discurso, a la situación dramática y a la figura del Rey.

En contraste con el histrionismo de éste y su doblez —«figura de a dos» (II, 1778), según la acertada, y nada gratuita, expresión de Pasquín—, resalta la autenticidad y pureza moral de la Reina. El discurso con que responde a su real esposo muestra su admirable dignidad, lucidez y entereza. Siendo firme y clara en sus palabras, al denunciar de falsos y peligrosos los argumentos del Rey para repudiarla, Catalina expresa su profundo amor por Enrique, a la vez que su dolor. Se diría que los dos ejes que van enhebrando simultáneamente el discurso son su condición de reina y su condición de esposa, ambas nutridas de su delicada sensibilidad femenina.

El contraste entre Enrique y Catalina, patente en sus respectivos discursos, es acentuado por Calderón mediante la configuración gestual del final de la escena: el Rey le vuelve la espalda a la Reina y la abandona sin responderle nada. Las palabras de Enrique, intensificado su efecto por el movimiento y el gesto, provocan, además de la queja de Catalina, comentarios espontáneos, aunque en voz baja —en *aparte*— de los cortesanos («No he visto en toda mi vida//teatro más lastimoso», «¡Qué tiranía!», «¡Qué agravio!»), que implican piedad para la Reina y censura para el Rey. El dramaturgo, para marcar con mayor intensidad dramática la soledad de ésta, intensifica los signos de lo patético en la escena de la separación entre la madre y la hija, señalando en la acotación: «Estando abrazadas sale Volseo y aparta a la Infanta.» Acción escénica y palabra dramática se refuerzan mutuamente para crear el clima patético del final del acto. La Reina es abandonada por los cortesanos cuando acude a ellos en busca de ayuda. Representativas de la actitud de todos ellos son las palabras de Tomás Boleno:

El Rey es sabio, y conozco
la razón; más no me atrevo
a su espíritu furioso.
Dios os consuele; que así
a riesgo mi vida pongo (II, 2039-2043).

El escenario, un momento antes lleno de gente, se vacía rápidamente, quedando en escena la Reina con sólo una de sus damas. Este movimiento escénico de personajes que abandonan precipitadamente el espacio escénico, dando, como el Rey, la espalda a la Reina en desgracia, huyendo no sólo de ella sino de su propia conciencia, debía de producir enorme impacto en el público, preparándole emocional y mentalmente para recibir y valorar en todos sus sentidos, crítico-históricos tanto como dramáticos, las hermosas palabras finales de la reina Catalina:

¡Ay, palacio proceloso,
mar de engaños y desdichas,
ataúd con paños de oro,
bóveda donde se guarda
la majestad vuelta en polvo!
¡Ay, entierro para vivos!
¡Ay, Corte, ay, Imperio todo!
¡Dios mire por ti! ¡Ay, Enrique!
¡El Cielo te abra los ojos! (II, 2067-2075).

10. La rueda de la Fortuna: la caída de Volseo y de Ana

Llegada a lo alto, la rueda de la Fortuna comienza fatalmente a caer. Comparado con el tiempo ascendente, el tiempo descendente parece brevísimo. Una vez la rueda empieza a bajar, los sucesos se siguen los unos a los otros casi sin pausa. Los mecanismos de la máquina trágica puesta en movimiento en los dos actos anteriores funcionan en el tercero con creciente aceleración, produciendo una cadena de acciones y reacciones que los personajes son incapaces de controlar.

Precisamente, el tema de la brevedad del tiempo y de su interna aceleración con que el dramaturgo abre el Acto III (¡Bolena en tan breve tiempo se mudó! , «En este tiempo murió mi padre»,

«Esto pasa, señor, en tan breve tiempo», III, 2077-2078, 2085-2086, 2118-2119) no sólo sirve para destacar la conciencia del tiempo que huye y preparar el *tempo* dramático del acto final, en que todo va a consumarse con terrible brevedad, sino que se va a constituir en el elemento estructural más importante de este último acto, cuya intensidad y efecto trágicos dimanan del ritmo de la acción, súbitamente acelerado por el dramaturgo mediante la concentración del tiempo dramático.

La velocidad con que se siguen en el espacio escénico la caída de Volseo, la caída de Ana, la muerte de Catalina y la desolada impotencia de Enrique para cambiar o detener el curso de la acción actúa sobre el espectador con función intensificadora del sentimiento trágico de la catástrofe con que se cierra el drama.

La caída de Volseo está articulada escénicamente en dos momentos dramáticos sucesivos. En ambos, el personaje, dominado y cegado por su soberbia, actúa como tirano, primero con los soldados, después con Ana, olvidando su más importante regla de conducta: el disimulo. Rasgo éste que, junto con el cinismo, caracterizan al personaje dramático del tirano, y cuya fuente habría que retrotraer hasta Séneca. La escena con los soldados es brevísima y su sentido dimana más de la acción que de la palabra, pues sólo pretende mostrar cómo Volseo se comporta como tirano cruel y soberbio y descargar, para que cumpla después su efecto, el tema de la maldición, la cual, al igual que todas las acumuladas anteriormente, se cumple. Maldición cuyo efecto dramático —crear la expectación en el público— es incrementada a renglón seguido por el cuasi-vaticinio de Pasquín, con cuya función premonitoria ya esta familiarizado el espectador. La maldición del Soldado 2 («Los cielos me den venganza de ti») y el cuasi-vaticinio de Pasquín, que anuncia implícitamente la muerte del Cardenal, forman parte de ese constante sistema de signos ominosos que coadyuvan desde la primera escena del drama a su compacta densidad estructural y temática y mantienen viva en los espectadores la tensión dramática y la espera de la catástrofe final.

La confrontación con Ana Bolena, que determina la inminencia de la caída de Volseo, está construida con técnica paralela y con los mismos elementos que las escenas de confrontación con la Reina: cegado por su soberbia, comete el error de no calcular las consecuencias de su desafío a Ana. No reconocer los límites de su propio poder y no acertar a ver el poder que Ana detenta ahora precipitan su caída fulminante. Amenazar abiertamente a Ana, olvidando la cautela y el disimulo que le ayudaron a subir y a triunfar, pensar que puede volver a inventar un nuevo escenario y a repartir nuevos papeles, manifiestan, una vez más —la última—, el perfecto enlace de *hybris* y *hamartia,* ya señalado en la escena de su enfrentamiento con la Reina Catalina. Nueva ironía, el plan imprudentemente revelado a Ana, con intención de amenaza, suministra a ésta las armas para invalidarlo. Dice Volseo a Ana:

Pero vuestra majestad
con mayor cuidado advierta
que no se cerró la puerta
por donde entró esta deidad,
y que el mismo que la abrió
para una Reina tirana,
abrirla podrá mañana
a quien por ella salió,
pues quien a la tiranía
halló paso, claro está
que más franco le hallará
a la justicia otro día (III, 2194-2205).

La alusión a Catalina es clarísima. Y Ana actuará inmediatamente: envenenará a Catalina, conseguirá el destierro de la Infanta y la promesa del Rey de derribar al Cardenal. Lo cual sucede también inmediatamente, por virtud de esa técnica de concentración del tiempo dramático que acelera el ritmo de la acción. El Soldado que maldijo a Volseo ve cumplirse su maldición: el Rey despoja a Volseo de su riqueza y de su poder, y puede exclamar:

Sólo este día esperé.
Castigo del Cielo fue (III, 2351-2352).

A Volseo le toca ahora maldecir a Ana —y el espectador sabe que las maldiciones se cumplen— y entender, demasiado tarde, quién era la mujer del horóscopo, y, sobre todo, cómo él mismo labró su destino:

¡Ay, dudosa astrología
y qué bien me previniste!

Que con tiempo me dijiste
el que una mujer sería
mi destrucción. ¡Ay, Bolena!
por engrandecerte a ti
sobre las nubes, caí
al abismo de mi pena.
¡Plegue a Dios que, pues ingrata
mi infame muerte deseas,
que como te veo te veas;
muera así quien así mata!
Y pues al Cielo le plugo
darme fin tan lastimoso,
a ti te mate tu esposo
a las manos de un verdugo (II, 2362-2377).

A Calderón no le basta la caída de Volseo, en la que se cumple su destino político, pues que política y moral individual van enlazadas a lo largo de la tragedia entera. Inventa una escena más en la que Volseo y Catalina vuelven a enfrentarse. Los dos se encuentran en la misma situación de total desposesión, en desgracia ambos. Y es en esa igualdad de condición política donde se manifiesta la diferencia de naturaleza moral: frente a la grandeza de alma de la Reina, que ofrece su perdón y su favor a Volseo, muestra éste su empecinada ceguera, su cínico pesimismo y su desesperación. No cree ni en la bondad ni en el bien. Toda su concepción del mundo y del hombre se concentra en una sola frase: « ¡Oh, cuánto yerra el que bien hace.» Y, consecuente consigo mismo como personaje, fundado hasta el fin en su soberbia y en ella empecinado, abandona la escena con estas palabras:

Mi venganza
yo mismo la he de tomar,
que no han de triunfar de mí.
Desde allí,
despeñado he de acabar,
y ¡muera como viví! (II, 2512-2517)[55].

---

[55] Refiriéndose al suicidio de Volseo, hace el profesor A. A. Parker esta interesante observación: «Para esta última licencia la fuente utilizada por Calderón le ofrecía esta justificación: 'Publicóse que el mismo Cardenal, por no verse en afrenta se había muerto con yerbas: creo que se lo levantan'

Estas palabras últimas de Volseo, que muere como vivió, contrastan —y ese contraste puramente dramático permanece en la memoria del espectador— con las últimas que Catalina dice, dirigidas a Enrique, que acaba de desheredar del trono a la Infanta, y de quien recibe la carta en donde Ana puso el veneno:

> *Decidle a Enrique, a mi bien,*
> *a mi señor, a mi esposo,*
> *cuánto mi pecho amoroso*
> *estima tan alto bien;*
> *que estoy tan agradecida*
> *y tan contenta en extremo,*
> *que hoy aqueste gusto temo*
> *que me ha de costar la vida* (III, 2540-2547).

No creo que al espectador escapara esta patética ironía que rezuma en los dos versos últimos —últimos, en verdad— de Catalina, que morirá también como vivió.

Naturalmente, las relaciones entre los personajes en esta escena de despedida no responden, ni tienen por qué responder, a un patrón psicológico, sino que están fundadas, como es común en el teatro clásico, en la lógica interna de la acción y en el sentido trascendente de ésta, fuente de sentido y de coherencia de la estructura de los caracteres.

La caída y muerte violenta de Volseo van seguidas, sin pausa ni respiro alguno, por la caída y la muerte violenta de Ana Bolena. El Rey, escondido, asiste al diálogo entre Ana y su antiguo pretendiente, Carlos, y, al sentirse engañado, monta en violenta cólera, y manda que sea prendida y decapitada. Ejecutor de la sentencia real será el padre de Ana, Tomás Boleno. Con esto se cumple, no sólo la maldición de Volseo, sino también aquellas palabras de Boleno, que, al principio del drama, había advertido a su hija:

(203b)»; art. cit., en ob. cit., p. 55. La fuente histórica utilizada por Calderón es el Libro Primero de la *Historia Eclesiástica del cisma del Reino de Inglaterra,* de Pedro de Ribadeneyra, publicado en Madrid, en 1588. Puede leerse en sus *Obras Escogidas, BAE,* LX, Madrid, 1952, pp. 181-234. Para los cuatro personajes mayores (Enrique, Volseo, Ana y la Reina Catalina), puede verse una antología de los textos de Ribadeneyra, «Apéndice» a mi edición de *La cisma,* ob. cit., pp. 197-205.

Dios hay, y aunque soy tu padre,
tal vez podrá ser que niegue
la sangre por el honor,
y no rehusaré tu muerte (I, 755-758).

Es necesario destacar el apretado tejido de circunstancias, enlazadas entre sí por el sistema de relaciones causales, que subyacen en todos estos hechos. Tomás Boleno fue elevado a la presidencia del Reino por intercesión de su hija, cargo a que aspiraba Volseo, lo cual motivó la amenaza del Cardenal, desencadenando las acciones de Ana contra Volseo y contra la Reina. Y es, a causa del cargo que detenta, por lo que recibe del Rey la orden de hacer justicia, y jura a los cielos administrarla aunque sea contra su propia sangre, sin saber que tendrá que cumplir inmediatamente su juramento.

Es esta férrea relación interna de los hechos, relación fundada en la lógica misma de las acciones y reacciones de los personajes, la que permite al dramaturgo eliminar totalmente del desenlace el azar, salvando así la unidad de la acción. Por otra parte, dada la complejidad de ésta, le era necesario resolverla sin que ninguno de los cabos del nudo dramático quedara suelto, es decir, no motivado. Al mismo tiempo, para que el desenlace fuera, no sólo necesario, sino completo, debía resolver la suerte de cada personaje, no aisladamente, sino mostrando funcionalmente las conexiones que los unen. Finalmente, para producir el máximo efecto trágico había que condensar la acción reduciéndola a sus parámetros esenciales y concentrando el tiempo dramático.

El espectáculo de la violencia de las mudanzas de la Fortuna, elemento a la vez temático y estructural asociado a Volseo y a Ana, prepara para el espectador el clima trágico de la catástrofe final en donde se cumple el destino del rey Enrique VIII inextricablemente conectado al destino del Reino.

Los bellísimos versos finales de Ana cierran el tema de la Fortuna con que abrió su primer discurso, cuando pensaba tenerla en la mano (I, p. 427):

¡Ay, fortuna, lo que al mundo
sin sazón, sin tiempo diste,
rosadas hojas! ¿Qué importa
que a sus giros ilumine
el sol tus flores si, luego,

airados vientos embisten,
y, hechos cadáver del campo,
tus destroncados matices,
aves sin alma en el viento,
fueron despojos sutiles? (III, 2726-2735).

11. La puerta cerrada

Si la caída de Volseo y Ana se produce por una convergencia de efectos que escapan totalmente a su control, puestas las causas por los mismos personajes —y el tema de la Fortuna es la objetivación simbólica de esa férrea e insobornable cadena de relaciones de causa y efecto—, es Enrique, en última instancia, el agente catalizador de dichos efectos, pues son sus decisiones las que precipitan la destrucción de ambos. Desde una perspectiva estrictamente psicológica, esas decisiones pueden, ciertamente, ser explicadas por el carácter colérico del Rey que le hace decidir con precipitación, y que responde a su condición, detectada por Volseo, de hombre fácil y propenso a cegarse. Desde la perspectiva de la acción trágica, por virtud de esa inescapable convergencia de efectos, su carácter hace de Enrique el enemigo de Enrique. No es fuera de él, sino dentro, donde se encuentra su peor adversario. Todas las acciones emprendidas por él o por él autorizadas llevan en sí mismas el principio y la semilla de su futura destrucción, de modo que sólo él mismo es el artífice de su propia perdición. Con mayor razón que Don Fernando, el príncipe constante, podría Enrique VIII exclamar: «Hombre... tú eres tu peor enfermedad» (Acto III, vv. 2511-2516).

A diferencia de Volseo y Ana, que sólo sufren al final de sus vidas, Enrique, lleno de temores, en constante estado de turbación y de tristeza, dividida la conciencia, es un personaje en permanente estado de crisis.

Una vez más, apenas ha ordenado la ejecución de Ana, Enrique se repliega en sí mismo, aquejado de la mala conciencia, para expresar su tormento y su aflicción y reencontrar sus viejos fantasmas interiores:

¡Ay, discurso!
¿Qué me atormentas y afliges?
Ilusión, ¿qué me amenazas?

Temor, ¿por qué me persigues?
¡Tantos enemigos juntos
a sólo un pecho le embisten!
Socorred, Señor piadoso,
al hombre más infelice
que verá el mundo en sus tornos,
aunque eternamente gire (III, 2738-2747).

Vueltos sus ojos al Cielo, Enrique cree poder encontrar todavía una salida, la única que podría devolverle la paz y restaurar la justicia y el orden roto por él mismo: el perdón de Catalina y su restitución al trono. Vestida de luto, la Infanta María, que viene a pedir justicia y venganza, barre la última esperanza del Rey: Catalina ha muerto. Quien podría perdonar ya no existe. La paz y la restitución son imposibles. No hay salida. La puerta está cerrada. Nada de lo que es puede dejar de ser. Es demasiado tarde:

¡Ay, de mí! Ya el alma vive
en mejor imperio. ¡Ay, cielos!
¡Qué mal hice! ¡Qué mal hice!
Mas si no tengo remedio,
¿de qué sirve arrepentirme?
¿De qué sirven desengaños
y deseos? ¿De qué sirven,
si está cerrada la puerta?
Yo negar al Papa quise
la potestad, yo usurpé
de la Iglesia un increíble
tesoro; tanto, que es ya
restitución imposible.
Si a los grandes hoy les quito
las rentas, y a los que hoy viven
libres les vuelvo a poner
leyes, hará que apelliden
libertad. ¡Ángel hermoso
que en trono de luz asistes
y en tu venturosa muerte
mártir generosa fuiste,
dame favor, dame ayuda,

pues ya quiero arrepentirme!
Pero es muy tarde, no puedo.
¡Qué mal hice! ¡Qué mal hice! (III, 2777-2801).

Es esa desolada conciencia del mal hecho y de la irreversibilidad de sus consecuencias, y ese desesperado sentimiento de impotencia y de culpa, lúcidamente expresados en ese momento supremo de la agnición, lo que estalla en este último soliloquio del Rey. El docto y sabio Enrique, defensor de la fe y de la religión, toca el fondo de su miseria como hombre y como monarca, al descubrir que ni puede devolver la vida a quien podría perdonarle ni puede desviar el curso de la historia de su pueblo.

Contrariamente a Volseo y a Ana que han pagado con su muerte su desordenado apetito de poder y de gloria, satisfaciendo con ella la justicia divina, Enrique deberá cargar con su conciencia de culpa y seguir viviendo para contemplar hasta su propia muerte

el más funesto teatro
y espectáculo más triste (III, 2844-2845):

la división del Reino y el futuro de violencia y de sangre, entregado a las furias del remordimiento y a la desolación moral de quien cree que es demasiado tarde para arrepentirse.

12. La jura

Porque el verdadero sentido de la tragedia no está en la destrucción física o moral de cada uno de los personajes, sino en el espectáculo del reino dividido, Calderón cierra *La cisma de Inglaterra* con la escena de la jura de la Infanta María como heredera del trono [56].

Teatralmente, la escena debía de ser de gran efecto plástico, según deja adivinar la acotación:

Tocan chirimías y clarines y salen a la jura los que pudieren, y el Rey y la Infanta, que suben a un trono, a cuyos pies, en lugar

[56] Naturalmente, Calderón organiza los materiales históricos suministrados por su fuente como dramaturgo, no como historiador, en función de las necesidades internas de su visión dramática de los hechos. Sobre este punto, vid. mi «Apéndice», citado en la nota anterior.

de almohadas, ha de estar el cuerpo de Ana Bolena, cubierto de un tafetán; y, en estando sentados, la descubren...

En medio de la real fanfarria de chirimías y clarines y del lujo y solemnidad de ricas vestiduras y paramentos de la sala del trono, reunido el Parlamento, el centro de atención de la mirada está concentrado en el cadáver de Ana Bolena, puesto a los pies del Rey y la Infanta, funesto recordatorio de las acciones de Enrique.

Las palabras de la Infanta con que esta escena final comienza debían de resonar extrañamente:

¡Qué bien vuestra Majestad
satisfizo mis ofensas,
pues que ha puesto a los pies
quien pensó ser mi cabeza!
Con tan alegres principios
mis dichas serán eternas.
¡Gloriosos triunfos me aguardan,
triunfantes glorias me esperan! (III, 2862-2869).

Para el espectador del primer tercio del siglo XVII, conocedor de la historia de Inglaterra y de la no lejana guerra civil, estas palabras sonaban cargadas de una terrible ironía, nada diferente a la ironía trágica que permea la tragedia entera.

Al contraste, vívidamente marcado, entre los signos plásticos y sonoros del espacio escénico —gala, músicas, cadáver de Ana— venía a unirse el contraste dramático entre la jura del final del Acto II, en el que el Rey destrona injustamente a Catalina, sin oposición por parte del Parlamento, y esta nueva escena de jura en la que restituye en el trono a la legítima heredera, con un Parlamento claramente dividido, en la que sólo es aceptada condicionalmente:

El Reino puede jurarla,
y si cuando llegue a Reina
no fuere del Reino a gusto,
depóngala Inglaterra (III ,2972-2975).

La conciliación y la paz, sólo aparentes y sólo de fórmula, no logran ocultar la amenaza de persecuciones, de hogueras, de muertes, y de guerras civiles. Con el Rey, podemos concluir repitiendo sus mismas palabras:

¡Pobre Enrique!
¡Qué de años que te esperan! (III, 2440-2441).

Bien sabe el Rey que las consecuencias de las acciones individuales rebasan la esfera de lo individual para abatirse, fatalmente, sobre todo un pueblo. Enrique obtendrá del Parlamento que jure a la Infanta María como heredera del trono de Inglaterra, intentando así restaurar el orden y la unidad rota del Reino. Pero el desorden y la desunión se han posesionado de una vez para siempre del Reino. El final de la tragedia de unas vidas humanas es el comienzo de la tragedia histórica de un pueblo dividido por el cisma.

II. TRAGEDIA DE HONOR

Queremos dirigir, en especial, nuestra atención al estudio de todos aquellos elementos, y a sus funciones, presentes en la estructura común a las tres piezas de la clásica trilogía de honor calderoniana: *A secreto agravio, secreta venganza, El médico de su honra* y *El pintor de su deshonra*[1]. Aunque nuestro propósito no sea el análisis de cada una de ellas en sí, aislada de las otras, sino la delimitación y descripción del sistema que configura el universo dramático de la tragedia de honor, así como su sentido y sus significaciones, no creemos, sin embargo, que haya que olvidar o desestimar las diferencias entre las tres tragedias, diferencias que tendremos en cuenta para señalarlas y compararlas entre sí, entendiéndolas como variantes dentro de un único y el mismo sistema.

1. Las bodas

Pese a ser idénticas la sustancia dramática, las fuerzas en conflicto y la significación global de los primeros segmentos de la ac-

[1] Citaré siempre por mi edición de las tres en *Tragedias-2,* Madrid, Alianza, 1968, indicando entre paréntesis el acto y la página. La enorme acumulación bibliográfica sobre las tragedias de honor de Calderón obliga a quien sobre ellas escribe a reconocer su deuda «difusa» con quienes le han precedido, aunque no obligue a citar en cada instancia concreta lo publicado anteriormente, lo cual produciría una grave congestión de notas bibliográficas. Sólo cuando haya relación inmediata de coincidencia o disidencia con otros críticos citaré en nota a pie de página. Quede, sin embargo, desde ahora admitida mi deuda con cuantos cito en la Bibliografía, a la mayoría de los cuales los leí hace tiempo o en la etapa previa de preparación de mi libro. Espero no haber dado por mío, con demasiada frecuencia, lo que haya asimilado de otros.

ción, en donde el pasado queda ligado, escénicamente, al presente mediante su dolorosa rememoración por la esposa y su súbita e inesperada reaparición en la figura del amante, sin embargo la ordenación temporal de los sucesos, de idéntico sentido en las tres tragedias, o, si se prefiere, su cronologización escénica, difiere entre *A secreto agravio* y *El pintor,* por un lado, y *El médico,* por el otro.

1. El final de una historia

En *A secreto agravio* y *El pintor* la acción comienza con el anuncio gozoso de las bodas por el marido. La diferencia de interlocutor —el Rey Don Sebastián en la primera; una persona privada, Don Luis, en la otra— podría explicar la diferencia de tono entre los breves discursos de Don Lope de Almeida y Don Juan Roca, alojados, respectivamente, en los endecasílabos heroicos de la silva de Don Lope y los familiares octosílabos de las dos redondillas de Don Juan. Esta diferencia de tono, reflejada en la diferencia de métrica, que parece definir desde el principio el estilo personal de ambos, se mantendrá, sin embargo, a lo largo de las dos piezas. Don Lope y Don Juan son, en efecto, personajes con caracteres distintos, según tendremos ocasión de comprobar. La tendencia a la exaltación y a la expresión hiperbólica de sus sentimientos, propia de Don Lope, aparece clarísima en la segunda escena, en la que, a solas con su criado Manrique, da rienda suelta a su fuerte temperamento y a su encendida imaginación, espoleados por su impaciencia. Don Juan, por el contrario, se expresa con mayor mesura y sosiego, más a ras de tierra, sin acudir al rico lenguaje metafórico de Don Lope. La diferencia entre ambos es también una diferencia de edad: Don Juan Roca dejó ya atrás, como él mismo dice, «la primera//edad de mi primavera» *(El pintor,* I, 250).

Ambos acaban de casarse y esperan a sus esposas. Don Lope, casado por poderes, la aguarda en el colmo de la impaciencia. Su criado Manrique, de acuerdo con una de sus funciones de figura del donaire —distanciación y crítica—, llama la atención del espectador sobre la prisa con que el amo actúa, introduciendo, para calificar la acción, el vocablo «error» *(A secreto agravio,* I, 31). El chiste con que remata su intervención —chiste que no es tal, visto desde la escena final— no invalida el efecto que la palabra «error» introduce. El anuncio jubiloso de las bodas recibe una primera corrección por parte del gracioso.

En *El pintor* la escena está un poco más elaborada [2]. No importa sólo la noticia del casamiento, sino sus circunstancias y su prehistoria, las cuales giran en torno al carácter de Don Juan. Éste, más inclinado al estudio y al arte de la pintura que a las aventuras amorosas y al culto de Venus, más intelectual y contemplativo que hombre de acción, sólo muy tarde, pasada la flor de la edad, presionado por deudos y amigos, y por razones de interés, no de inclinación (I, 250-251), decide buscar esposa:

> *y dando, lo que no había*
> *hecho en mi menor edad,*
> *lugar a la voluntad*
> *que hasta entonces no tenía,*
> *tomar estado traté,*
> *dando a mi prima la mano,*
> *que es hija del castellano*
> *de Santelmo* (I, 251).

Sin embargo, lo que era un acto de razón, ausente toda pasión, toda inclinación, todo gusto, sufre una radical transformación cuando Don Juan, que sólo conocía a Serafina por un retrato, la ve en persona, físicamente. En ese instante, «tan del todo se rindió» su «pecho ingrato» que exclama: «aun yo no sé si soy yo» (I, 252). Esta especie de rapto de la mente, de enajenación que muda súbitamente al empedernido solterón, nada tierno ya, en apasionado enamorado, recibe también corrección por parte de Juanete, criado de Don Juan y gracioso, mediante el cuento, bastante cruel, de las nupcias gastronómicas del pollo frío y el vino caliente. La conclusión y aplicación del cuento [3] a la boda de «moza novia» y «desposado no mozo» introduce una nota ligeramente grotesca en las bodas de Don Juan.

---

[2] Vid. artículo de Alan K. G. Paterson, «The Comic and Tragicomic Melancholy of Juan Roca: A Study of Calderón's *El pintor de su deshonra*», *FMLS*, V, 1969, pp. 244-261.

[3] Uta Ahmed, «La función del cuento en las comedias de Calderón», *Hacia Calderón. Segundo Coloquio anglogermano. Hamburgo, 1970,* ed. Hans Flasche, Berlín-New York, 1973, pp. 71-77. Y su libro, *Form und Funktion der «Cuentos» in den comedias Calderóns,* Berlín-New York, 1974.

El efecto de corrección, de advertencia y de burla implícitas en la intervención, dramáticamente gemela por su función distanciadora, de Manrique y Juanete, desvía, al frenarla, la posibilidad de identificación emocional del público con el héroe, a la vez que prepara para la recepción del mensaje de la esposa, de signo diametralmente opuesto al del marido.

* * *

En contraste con ellos, la primera imagen que de sí mismas proyectan como *dramatis personae* Leonor y Serafina es la del dolor. Para ambas, las bodas no son el término feliz de una historia de amor, sino su final desgraciado. Las bodas se producen como resultado de un amor súbitamente truncado por la supuesta muerte —aunque real para ellas y para los demás, incluido el espectador— del verdadero amante, y, en buena medida, son consecuencia del fracaso de un proyecto vital, imposibilitado por la fulminante intervención de una fuerza exterior y aparentemente ciega. Esa fuerza, sobre la que volveremos después, altera irrevocablemente el destino, no sólo de ellas, sino de todos los personajes.

En sus discursos, casi soliloquios, vertidos en la intimidad, a solas con el confidente, después de asegurarse que nadie escucha (*A secreto agravio,* I, 42; *El pintor,* I, 264), no sólo dan rienda suelta a su dolor y a su pena profunda, sino que expresan, como una especie de timbre de nobleza, su fidelidad interior al amor verdadero. Dolor por el amor perdido y fidelidad al amor único definen, en efecto, la calidad del alma y la calidad del amor de la mujer noble, a la que caracterizan la firmeza y no la mudanza ni la superficial inconstancia que fácilmente se consuela. Pero también preparan la admiración del espectador por el sacrificio al que ambas están dispuestas: el del amor en aras del honor. El valor del sacrificio, y la dificultad de éste, depende del valor del amor. A mejor amor, mayor dolor; y a mayor dolor, mayor mérito en la renuncia y en el vencimiento de sí mismas.

¿Qué otra función dramática, si no es mostrar la autenticidad del amor por la autenticidad del dolor, tendrían los largos discursos de Leonor (82 versos) y Serafina (163 versos)? El dramaturgo parece significar en ellos la importancia que da a la evocación del pasado, el cual, hecho presente por la intensidad del dolor —lágrimas de Leonor, congoja y desmayo de Serafina— convierte al relato en invocación. Los fantasmas del pasado invocado se harán reales en el presente del espacio escénico. El dolor por el pasado abolido y resucitado se transformará en dolor por el presente imposible, y, sin embargo, real. Es en el espacio real del presente donde la verdadera agonía de la mujer comienza, asediada, a la vez, por el pasado y por el presente, por el amante y por el marido, víctima de esa imposible conciliación de los dos mundos. El fundamento de la profundidad como personaje de la esposa, así como de la complejidad que le da espesor y consistencia dramática, está, precisamente, en esa constante presencia implícita del pasado en el presente. Es la autenticidad de esa presencia la que funda la calidad trágica de la esposa y la que dibuja, bien marcada en la acción, su permanente agonía, es decir, el combate que como personaje dramático la define. Agonía que puede captarse, como en cifra, en los dos discursos a que venimos refiriéndonos.

El de Leonor (I, 42-44), que expresa su dolor con la misma intensidad de pasión que Don Álvaro expresaba su alegría y su impaciencia y con vocablos y metáforas que remiten también a idéntico campo semántico *(viento, fuego, llanto, mar),* cuya función, a la vez poética y dramática, o, mejor, de poética dramática, ya ha sido señalada por otros investigadores [4], destaca, además de por la violencia misma del dolor, por la protesta y la punta de desesperación que parece aflorar en la parte final del discurso. En ella, no sólo identifica, en un momento de explosión emocional, boda y muerte [5], sino que añade como explanación:

> *Pues si el cielo me forzó,*
> *me verás en esta calma,*
> *sin gusto, sin ser, sin alma,*
> *muerta sí, casada no.*
> *Lo que yo una vez amé,*

---

[4] Vid., por ejemplo, E. M. Wilson, «La discreción de don Lope de Almeida», *Clavileño,* II-9, 1951, pp. 1-10; reimpreso en inglés en *Comedias,* volumen XIX, pp. 17-36, y en *Spanish and English Literature of the 16th and 17th centuries,* Cambridge University Press, 1980, pp. 48-64.

[5] SIRENA:
Don Luis muerto y tú casada,
¿qué pretendes?
DOÑA LEONOR:
¡Ay de mí!
Di, Sirena amiga, di
don Luis muerto y muerta yo (I, 44).

lo que una vez aprendí,
podré perderlo, ¡ay de mí!,
olvidarlo no podré.
¿Olvido donde hubo fe?
Miente amor. ¿Cómo se hallara
burlada verdad tan clara?
Pues la que constante fuera,
no olvidara si quisiera,
no quisiera si olvidara.
¡Mira tú lo que sentí
cuando su muerte escuché,
pues forzada me casé
sólo por vengarme en mí! (I, 44).

A diferencia de Serafina o de Mencía, no hay mención alguna de la presión o imposición paterna en la decisión de casarse. No es a un agente humano, sino a una fuerza superior, sentida como fatalidad, a la que parece aludir Leonor, y contra la cual se venga en sí misma, casándose. En la autenticidad de su amor estriba su propia autenticidad como ser. Y es esta identidad la que hará admirable la conclusión de su discurso:

Ya la vez última aquí
se despide mi dolor.
Hasta las aras, amor,
te acompañé; aquí te quedas,
porque atreverte no puedas
a las aras del honor.

Amor y renuncia al amor marcan, sobre un fondo de desesperada aceptación y repulsa de la fatalidad, el combate que acabará con la vida de la heroína en un final de una violencia y crueldad inusitada.

El largo discurso-confesión de Serafina (I, 264-269), más mesurado en la expresión del sufrimiento que el de Leonor, pero en consonancia de tono con la expresión mesurada de la alegría por parte de Don Juan Roca, cuenta la historia de amor desde el principio, es decir, desde el nacimiento mismo del amor, y, al contarla, la revive, la hace actual por la palabra. Mediante su actualización, no sólo descubrimos la gravedad, la seriedad, la profunda honestidad, la ausencia de toda frivolidad o de toda precipitación como rasgos del carácter de Serafina, sino las profundas raíces de su amor por Don Álvaro, y, consecuentemente, el dolor de la renuncia. Si Serafina, a diferencia de Leonor, puede controlar mejor sus palabras cuando recuerda su amor, no puede en cambio, controlar su cuerpo [6]. Ante la intensidad del sufrimiento, pierde la conciencia y se desmaya. Es, creo, interesante hacer notar que el primer amago de desmayo ocurre cuando alude, por segunda vez, a la intervención del padre en la ejecución de «los conciertos tratados» entre él y Don Juan Roca. Aunque Serafina no acusa jamás al padre, según lo hará Mencía, como responsable de forzar las bodas, pensamos que el único sentido posible de este primer amago de desmayo, justo cuando nombra al padre en relación con las bodas, está en lo que tiene de signo de un sentirse interiormente forzada a obedecer los deseos del padre. El segundo amago ocurre cuando, al expresar el conflicto entre su amor a Don Álvaro y su respeto al padre, dice valerse de «razones contra la razón» (I, 268). En estos dos amagos muestra Serafina dos momentos de su impotencia frente al padre, con el que no se atrevió a enfrentarse, y que, ahora, al recordarlo, la acongojan con tal intensidad que está a punto de desmayarse. Lo cual hace, casi inmediatamente, cuando se posesiona de su conciencia el recuerdo de la noticia de la muerte de Don Álvaro, cuyo fantasma casi parece hacerse visible:

> *con la muerte agonizando*
> *parece que le estoy viendo* (Desmáyase) (I, 269).

Distintas entre sí por la manera de expresarlo, Leonor y Serafina coinciden en la intensidad del amor, y en la profundidad del dolor, no abolidos por el tiempo. Su actualización escénica mediante la imaginación retrospectiva, que nos desnuda el fondo de la agonía que las constituye como entes dramáticos, dibuja desde el principio el sentido trágico de su trayectoria como personajes.

---

[6] Vid. las interesantísimas páginas de Marc Vitse sobre Serafina en la segunda parte de su libro *Segismundo et Serafina,* Université de Toulouse-Le Mirail, 1980, pp. 83-119.

2. La vuelta del pasado

La vuelta del amante, no ya como fantasma de la memoria o como ilusión de la fantasía, sino como presencia físicamente real en el presente, está espacializada por Calderón justo a continuación de las escenas comentadas. Esa inmediata contigüidad parece crear una poética relación de causa a efecto entre memoria e ilusión y realidad, entre rememoración e invocación del Eros y aparición del amante, como si el fantasma evocado se materializara de pronto, como si el ser viniera a sustituir a su imagen, encarnando el deseo interior de la mujer. Es así como, en efecto, lo entienden Leonor y Serafina.

> *Alma de la pena mía,*
> *cuerpo de mi fantasía* (I, 49),

dice Leonor. Serafina cree estar viendo:

> *Mi fantasía con cuerpo,*
> *con voz mi imaginación,*
> *con alma mi pensamiento...* (I, 271).

Estas palabras acaban de mostrar la fuerza con que a ambas las posee la imagen del amor y del amante. No es que amaran y hayan dejado de amar, sino que siguen amando. Por eso, el amante es, en ese primerísimo instante, presencia real y objetivación del Eros interior: cuerpo de la fantasía de ambas mujeres, voz de su imaginación, alma de su pensamiento y de su dolor. Pero, pasado ese primer instante de ambigua identidad, a la vez poética y dramática, entre la realidad y el deseo, estos dos se enfrentan conflictivamente.

El amante, imagen del amor, objetivación del deseo, se transforma en imagen de la tentación, contra la que debe luchar y luchará en el curso entero de la acción. Ese combate exterior en que empeña literalmente su existencia, pautado dramáticamente por sus distintos enfrentamientos con el amante, materializa, a su vez, la agonía interior que le da como personaje toda su profundidad y su intensidad. Sin la dialéctica interior entre realidad y deseo, Leonor, Serafina y Mencía serían, como entes escénicos, simples personajes planos, sin capacidad para provocar en el espectador esa mezcla de piedad y temor que las tres concitan. Es esa lucha en que están empeñadas la que las define, pero también la que se constituye en fuente de su ambigüedad como personajes dramáticos. La posibilidad de la acción trágica, situada la mujer en la encrucijada entre pasado y presente, entre amor y honor, entre amante y marido, entre el deseo individual y el deber social, entre instinto y razón, depende enteramente de esa ambigüedad de la heroína y su agonía.

La vuelta del amante crea también una especie de paradoja trágica, reflejada a la vez en la mujer y en la acción. Lo primero lo expresa con meridiana claridad Serafina:

ahora conozco, ahora veo
que debe de ser verdad
que vives, Álvaro, puesto
que soy tan desdichada,
que aun una dicha que tengo,
no lo es ya, pues, muerto o vivo,
de cualquier suerte te pierdo (I, 273).

Lo segundo, Leonor, quien, en clave, pues no está a solas con Don Luis como lo está Serafina con Don Álvaro, hace notar el «a destiempo» de la llegada del amante: «habéis venido tarde» (I, 50). Es este llegar «sin tiempo y sin ocasión» (I, 51) quien hace imposible para siempre la felicidad, tan al alcance de la mano, «si antes hubiérais venido» (I, 50). La irrecuperable distancia entre ese «antes» y el «tarde» es una primera invitación para una toma de conciencia de la dimensión trágica del tiempo, así como la instauración en la acción del tiempo trágico, hecho de sucesiones de instantes absolutos e irremediables, imposibles de ser rescatados.

Esta doble paradoja trágica libera, a su vez, el primero de los elementos que, junto con el Azar, preside, la acción entera: el Malentendido. Elemento que actúa hasta el fin como una especie de fuerza ciega y terrible, lindante con el territorio de lo absurdo. Ese malentendido original lo expresa lapidariamente Serafina:

todo mi mal
fue que le tuve por muerto (I, 275).

De ese primero, y fatal, malentendido —tener por muerto al que estaba vivo— arranca toda la tragedia.

* * *

En *El médico,* aunque la historia de Mencía sea en sustancia la misma de Leonor y Serafina, es distinto el orden dramático y su configuración escénica. No es el marido, sino el amante quien inicia la acción, y de manera abrupta y significativa: cayendo del caballo [7]. Su caída, además de su ominosidad, es signo claro de intervención del Azar, esa maligna fuerza que permea las tres tragedias de honor. La presencia del amante no sólo precede, en lugar de seguir la revelación del amor oculto, sino que fuerza a romper la cobertura de silencio que lo envuelve. Primero, mediante los signos de indicio alojados por el dramaturgo en el diálogo entre Mencía y Don Arias, así como en las reacciones físicas —gesto, actitud, tono de voz—, al descubrirse, reconociéndose, uno al otro, y en los comentarios, puramente emotivos e incontrolados, de Mencía —« ¡Qué es esto que miro, cielos! » « ¡Ojalá que fuera sueño! » (I, 131)— y, finalmente, en el breve monólogo de Mencía ante el cuerpo desmayado de Don Enrique. Este monólogo, de sólo treinta y cinco versos, pequeña obra maestra de construcción dramática, podría figurar como una de las piezas mejores en una antología de los mejores monólogos del teatro occidental [8].

[7] Sobre la caída del caballo es conocido el trabajo de A. Valbuena Briones, «El simbolismo en el teatro de Calderón», *Romanische Forschungen,* 74, 1962, pp. 60-76. Con el título de «El emblema simbólico de la caída del caballo», puede verse en su libro *Calderón y la Comedia nueva,* Madrid, 1977, páginas 88-105.

[8] He aquí el monólogo, cuya lectura recomiendo al lector antes de seguir adelante:

Ya se fueron; ya he quedado
sola. ¡Quién pudiera, cielos
con licencia de su honor
hacer aquí sentimientos!
¡Oh quién pudiera dar voces,
y romper con el silencio
cárceles de nieve, donde está
aprisionado el fuego,
que ya, resuelto en cenizas,
es ruina que está diciendo:
«¡Aquí fue amor!» Más tarde ¿qué digo?
¿Qué es esto cielos, qué es esto?
Yo soy quien soy. Vuelva el aire
los repetidos acentos
que llevó; porque, aun perdidos,
no es bien que publiquen ellos
lo que yo debo callar
porque ya, con más acuerdo,

Calderón expresa en él los movimientos interiores del alma del personaje, la lucha entablada entre las pulsiones del inconsciente y las normas de la conciencia, la operación de desvelamiento y ocultación, a la vez, de su secreta agonía, las contradicciones entre las que se debate. A diferencia de Leonor y Serafina, que expresaban directamente su dolor y su amor, antes de reunirse con sus maridos, Mencía, casada ya, dueña de la casa del marido, en el interior de ese espacio sagrado, los expresa negándoles expresión, con un oblicuo «quién pudiera» que pone de manifiesto no sólo su conciencia del deber y de la situación de esposa, sino la raíz misma que define el espacio en el que se halla instalada: la falta de libertad («Cárceles de nieve», «aprisionado...»). La metáfora «fuego-cenizas-ruina», con la que Mencía intenta exorcizar, alejándola en el pasado, la fuerza del Eros, obra el efecto contrario: en lugar de alejarla, la acerca, y, en vez de apagar, enciende. Consciente de esto, quiere volver las palabras a su cárcel de silencio, «porque ya —añade— ni para sentir soy mía», lo cual supone el reconocimiento de ese sentir. Sentir que intenta racionalizar, justificándolo por la posibilidad que le ofrece de vencer sus deseos, con lo cual, de nuevo, el Eros, expulsado por la puerta, vuelve a entrar por la ventana. La nueva serie de metáforas para expresar el último hallazgo de Mencía (que «no hay virtud sin experiencia»), pese a su perfecta construcción y a su aparente coherencia, se revela como una pura construcción de palabras: su realidad tiene sólo estatuto lingüístico. No quiero sugerir con esto que el personaje se miente a sí mismo o se engaña levantando entre la realidad y el deseo un

---

ni para sentir soy mía;
y solamente me huelgo
de tener hoy que sentir
por tener en mis deseos
que vencer; pues no hay virtud
sin experiencia. Perfecto
está el oro en el crisol,
el imán en el acero,
el diamante en el diamante,
los metales en el fuego;
y así mi honor en sí mismo
se acrisola, cuando llego
a vencerme, pues no fuera
sin experiencia perfecto.
¡Piedad, divinos cielos!
¡Viva callando, pues callando muero!
¡Enrique! ¡Señor! (I, 133).

bello muro de palabras. Lo que Calderón muestra, con extraordinaria maestría y exquisita delicadeza y finura dramáticas, es la sutil operación del deseo que se expresa a sí mismo: 1) negándose el derecho a la expresión; 2) expresándose mediante la negación de su fuerza; 3) predicando su fuerza al reconocer la necesidad de no decirlo; 4) autorizando su existencia y su presencia como medio para vencerlo; 5) transformándolo en instrumento para acrisolar la propia perfección.

Toda esa cadena de eslabones, construida mediante la contradicción entre el decir y el sentir, parece derrumbarse en los tres versos finales del monólogo, erizados de exclamaciones. Los signos de admiración reflejan la emoción puesta en las palabras que éstos enmarcan, así como la alteración de quien así se expresa. Quien, al principio del monólogo, invocaba a los cielos, expresando su deseo de poder decir lo que el silencio encubre, los invoca ahora pidiendo piedad por el deseo dicho y reconocido; pero, también, y, sobre todo, porque parece haber adivinado cuál será su destino: «¡Viva callando, pues callando muero!»

En este verso se expresa, como en cifra, la misma paradoja trágica antes detectada en Serafina y Leonor.

De las tres, Mencía es la única que acusará abiertamente al padre de haber atropellado su libertad forzándola a dar la mano a Gutierre. De las tres es también la que va directamente al fondo del problema, definiendo, con la sentenciosidad que parece caracterizarla, la situación:

> *La mano a Gutierre di,*
> *volvió Enrique y, en rigor,*
> *tuve amor y tengo honor.*
> *Esto es cuanto sé de mí* (I, 149).

La situación, sin embargo, no es, ni mucho menos, tan nítida como la define Mencía en el tercer verso citado: «tuve amor y tengo honor». Aunque, aparentemente, se formula una sola oposición entre dos términos *(tuve amor/tengo honor)* hay, en realidad, dos oposiciones: *amor//honor* y *tuve//tengo.* Para que la primera sea absolutamente cierta, y el desarrollo de la acción muestra en (las tres tragedias) que lo es, es necesario que la segunda no lo sea de modo absoluto. En efecto, lo que Mencía da a entender no es que haya sustituido el amor de Enrique por el amor de Gutierre, oponiendo un amor pasado a un amor presente. El verdadero conflicto está en que amor y honor son términos excluyentes, porque simultáneos. El valor moral y la fuerza dramática de Mencía, Leonor y Serafina estriban en su conciencia de esa incompatibilidad entre amor y honor y en su elección del honor frente al amor. Elección que no se hace sin dolor, sin sufrimiento y sin esfuerzo. Olvidar, como tantas veces se ha hecho, el heroísmo moral de tal elección y el combate interior implícito en la mujer a lo largo del desarrollo de toda la acción, ha llevado a minusvalorar e, incluso, a no valorar en absoluto la profunda verdad humana que caracteriza como ente dramático a las tres mujeres, y a superficializar lo que se han llamado «imprudencias» o faltas en su conducta. La vuelta del amante constituye una terrible prueba para Leonor, Mencía y Serafina, precisamente por lo que de auténtico tiene su amor. Si no tomamos en serio esa autenticidad, no entendemos la fuerza dramática del suceso, el heroísmo de la mujer ni el sentido trágico del combate comenzado. Pero, como Calderón no está escribiendo un drama heroico, sino una tragedia, y no enfoca la realidad desde un punto de vista heroico, sino trágico, el resultado de esa primera elección heroica de la mujer no será la alabanza y la gloria, sino la sospecha, el malentendido, el sufrimiento y la muerte. Las tres esposas, apenas triunfantes de la primera prueba de confrontación con el amante, serán sometidas a la tortura de un doble cerco: el del amante y el del marido.

3. Las confrontaciones

Marc Vitse, en su precioso estudio sobre Serafina, distinto del enfoque típico de la crítica anglonorteamericana, escribía casi al principio de su agudo análisis sobre lo que él llama «las victorias de la heroína»:

> Où situer alors la faute dont tant de critiques rendent coupable Serafina, attachés qu'ils sont à récupérer selon des critères moraux étrangers à l'oeuvre même le scandale de sa mort tragique? Sa culpabilité ne nous semble pas relever de l'ordre de l'Eros (désir refoulé), puisque le déchirement de l'être-pour-le-bonheur est le fait d'un coeur qui se sait et se veut délibérement voué à une définitive orbite amoureuse. Elle ne renvoie pas non plus à la morale personnelle ou sociale, puisque la jeune femme, sachant

> taire et se taire, apparaît comme un modèle de discretion et de réserve, contrastant, tout à son avantage, avec la duplicité malséante de l'antihéroique Leonor ainsi qu'avec les audaces inconsidérées de la pseudohéroique Mencía[9].

Aunque aceptemos plenamente la pregunta, sobre la que volveremos, y su implícita respuesta, así como las consideraciones que le siguen, no podemos asentir a la distancia que el profesor Vitse establece entre la condición tanto moral como psicológica de Leonor y Mencía, por una parte, y Serafina, por otra. En las tres, así como en sus trayectorias vitales, se produce el mismo contraste dramático entre decisión o elección heroica y resultado trágico de su acción. No es Serafina más heroica que Leonor o Mencía ni es su heroísmo más puro o entero que en las otras dos mujeres. No me parece que sea una diferencia de condición, sino de situación. Leonor y Mencía no tienen, como Serafina, la oportunidad de responder libremente a las quejas de sus amantes *tête á tête,* pues, cuando se disponen a hacerlo, entra el marido. La llegada de éste, impidiendo la explicación, altera totalmente la situación dramática. El segundo encuentro con el amante, que en el caso de Serafina se produce de modo natural y sin interferencias, en el caso de Leonor y Mencía no llega a producirse inmediatamente. Su posposición da al encuentro un aire ambiguo de cita que, en realidad, no tiene, pero que las circunstancias, con su perversa combinación de azar y malentendido, parecerán darle.

Comparemos, pues, condición y situación de las tres mujeres en sus primeras confrontaciones con sus amantes, destacando sólo los rasgos fundamentales, los cuales hay que entenderlos teniendo en mente el doloroso estado de ánimo de las tres, mezcla de estupor, de sufrimiento y de silencio ante el regreso inesperado del amante. Es, precisamente, Serafina la que de modo más intenso expresa su dolor[10], precisamente porque, a diferencia de las otras

[9] Ob. cit., pp. 87-88.
[10] Recuérdase los siguientes versos:

1. *También*
ahora conozco, ahora veo
que debe de ser verdad
que vives, Álvaro, puesto
que soy yo tan desdichada,
que aun una dicha que tengo,

dos, está a solas, y más tiempo, con Don Álvaro. Consideremos a cada una por separado, para después reseñar las coincidencias y llegar a algunas conclusiones válidas para las tres.

a) *Leonor*

Excepto en una brevísima escena, Leonor tiene que expresarse en presencia de los demás, viéndose obligada a medir en tan difíciles circunstancias sus palabras, sin poder responder a las quejas de Don Luis ni defenderse de él cuando, injustamente —y en esto coincide con Don Álvaro y Don Enrique—, la acusa de «mudable, inconstante y vana» (I, 51). Apremiada por Don Luis a dar razones y explicaciones, en el brevísimo tiempo en que quedan solos en escena, se ve forzada a decir antes que lleguen los otros:

> *No puedo, no puedo, ¡ay triste!*
> *responder; que está conmigo*
> *no mi esposo, mi enemigo.*
> *Mas porque me culpas fiel,*
> *lo que le dijere a él*
> *también hablaré contigo* (I, 52).

¿Podemos acusar de duplicidad y de antiheroísmo a Leonor por querer defenderse de los cargos que le hace precisamente aquél a quien de verdad ama? No hacerlo hubiera supuesto en ella una insensibilidad y una frialdad en contradicción con los sentimientos y el apasionado temperamento que la configuran como personaje desde sus primeros parlamentos. Juzgarla culpable por querer defenderse, supondría o no tomar en serio lo que el personaje ha revelado de sí mismo o reducirlo, en tanto que ente escénico, a lo que en absoluto es: un personaje de cartón-piedra, vacío y hueco. Precisamente, lo opuesto de lo que el dramaturgo parece querer hacer: una mujer con el amor en carne viva, desesperada

---

no lo es ya, pues, muerto o vivo,
de cualquier suerte te pierdo (I, 273).

2. *Aunque rendida me siento*
   al dolor, sabré al dolor
   ponerle tantos esfuerzos
   que no te dé otro cuidado (I, 275).
3. *¡Oh, si fueran los postreros*
   pasos que diera en mi vida! (I, 276).

por la presunta muerte de Don Luis, incierta del paso acometido por desesperación, pero resuelta, sin embargo, a cumplir con su deber, una vez que reconoce que aquel a quien estimaba como a esposo llega demasiado tarde.

Siendo cierta la doble ambigüedad del soneto de Leonor, ya señalada por el profesor Edward M. Wilson en su artículo de 1951 [11] —pero la ambigüedad es la marca dramática de la entera tragedia de honor—, no puede ser juzgado como prueba de duplicidad específica de Leonor, pues la duplicidad, con su cauda semántica de disimulo, silencio, doble sentido, etc., constituye, por así decirlo, la raíz misma oculta de las acciones de los tres personajes mayores: marido, esposa, amante. Por otra parte, si hablamos de la duplicidad de Leonor, por referencia al soneto, preciso es reconocer que está dirigido, *a la vez,* al marido y al amante, y no sólo, como suele interpretarse, *aparentemente* al marido y *realmente* al amante. Cada uno de los conceptos del soneto, verso a verso, puede ser verdadero de hecho o en la intención, tanto para el uno como para el otro. Más que de duplicidad, en sentido moral, no teatral, habría tal vez que hablar de división. El soneto no tiene uno, sino dos referentes, como dos interlocutores, porque quien lo emite está dividida entre dos deberes, el del amor y el del honor. Desgraciadamente los portadores de ambos valores, Don Luis y Don Lope, coincidirán, desde el amor el uno y el otro desde el honor, en el cumplimiento de lo mismo: la destrucción de Leonor. Ninguno de los dos parece tomar en serio las palabras de la mujer. Don Lope ni siquiera parece haberlas escuchado, y Don Luis las interpreta según sus propios deseos, y se empeña, pese a las advertencias de Celio, su criado [12], en seguir su propio curso de acción contra el honor de Leonor. No se equivoca en el último verso con que cierra su discurso y el primer acto:

Siga mi suerte atrevida
su fin contra tanto honor,
porque he de amar a Leonor,
aunque me cueste la vida.

Lo que ignora es que también va a costar la de Leonor.

---

[11] «La discreción de Don Lope de Almeida», ob. cit., p. 60.

[12] Advertencias que hay que poner en paralelo con las ya citadas de Manrique a Don Lope.

b) *Mencía*

Después del admirable soliloquio más arriba comentado, que nos permite tomar conciencia del conturbado estado de alma de Mencía, de su agonía interior y de los mecanismos de defensa improvisados contra la súbita reaparición en su vida de casada de Don Enrique, creo que es enteramente claro el sentido de la línea de conducta adoptada por Mencía frente a las quejas, acusaciones y recriminaciones del Infante: la firme defensa de su honor de casada, pero también de su dignidad de mujer. Obligada, como Leonor, a defenderse y a justificarse delante de testigos, sin libertad, por lo tanto, para hablar con entera claridad, Mencía recuerda a su desconsiderado acusador la firmeza de su honor cuando fue cortejada, cuanto más después de casarse.

Acusada de mudadiza por Don Enrique, en una escena de «duplicidad» de sentido, Mencía responderá defendiéndose:

quizá
fuerza, y no mudanza fue.
Oidla vos, que yo sé
que ella se disculpará (I, 143).

No creo que estos dos últimos versos puedan ser interpretados como una intencionadamente culpable invitación al Infante. La acusación de mudadiza, a todas luces injusta, provoca en ella esa respuesta fundada en la certeza de su inocencia, en la experiencia de su sufrimiento, en la obediencia a la ley del padre, en la conciencia de su dignidad y el sentimiento de su honor. Sin embargo, a esos dos versos nos remitirá más tarde el Infante Don Enrique, cuando vuelve a visitarla de noche y los utiliza como motivo y escusa de su venida. Mencía responderá:

Es verdad, la culpa tuve;
pero si he de disculparme,
tu alteza, señor, no dude
que es en orden a mi honor (II, 171).

¿Podemos hablar de falta o culpa en sentido moral? ¿En qué sentido es culpable Mencía?

c) *Serafina*

La posibilidad de comunicación que se les negaba a Leonor y a Mencía, coartadas e imposibilitadas por la presencia de testigos, incluido el marido, de expresar su estupor, su dolor y sus sentimientos, se le otorga ampliamente a Serafina, en sus dos escenas, casi seguidas, con Don Álvaro. Ambas son de una gran belleza dramática y están construidas con exquisito cuidado y atención a los matices.

En la primera, Serafina despierta de su desmayo en brazos de Don Álvaro, y, todavía «desvariando», según reza la acotación, introduce en sus primeras palabras el signo ominoso de su muerte a manos del amante [13], como les sucederá también a Leonor y a Mencía. Progresivamente, pasan de la alegría (Álvaro) y el asombro (Serafina) del encuentro a la dolorosa toma de conciencia del irremediable «ahora» en que se encuentran apresados, y cuyo sentido casi de trágica aporía lo expresa Serafina en sus tres últimos versos, en los que responde a la pregunta de Álvaro («¿luego... es verdad... que tú... Serafina... como has dicho... estás... casada?»), entrecortado por el dolor de ella, según la típica construcción calderoniana de expresión simultánea de dos personajes que se van repartiendo el verso:

> *¿Cómo puedo, cómo puedo*
> *decir que sí, si estás vivo,*
> *ni decir que no, si miento?* (I, 274).

La imposible conciliación de los dos términos, tan lúcida como sentenciosamente expresada por Serafina, no será ni entendida ni aceptada por Don Álvaro, quien, como los otros dos amantes, sólo parece saber quejarse y acusar.

Entre ésta y la segunda confrontación, hay, entre otras, una escena en la que Serafina, reducida a la misma situación de Leonor y Mencía, se ve forzada a hablar delante de testigos, incluido el marido, e incurre en la misma «duplicidad» que ellas, la cual no es, naturalmente, como no lo era en aquéllas, signo de duplicidad moral [14].

En la segunda conversación, protegidos los interlocutores de

---

[13] Vid. Marc Vitse, ob. cit., p. 89.
[14] I, 275-76.

toda interferencia o interrupción por la vigilancia de Porcia, hermana de Álvaro, pueden ambos expresarse sin temor al peligro que, en *A secreto agravio* y en *El médico,* supone la súbita e inesperada llegada del marido. Por otra parte, el espacio en el que la acción sucede no es la casa del marido, en donde la presencia del amante aparece en sí misma como infracción. Serafina y Don Álvaro pueden hablar en un espacio, por así decirlo, neutro, no marcado dramáticamente por la sospecha, el temor ni el malentendido. La presencia en él del amante no es sentida por su interlocutora ni como amenaza a su honor ni como ofensa al honor del marido, según sucede en las otras dos tragedias. Finalmente, esa condición no marcada del espacio dramático impide en el espectador la carga de tensión expectante que se posesionaba de él en los otros dos casos, así como la noción de violación de un espacio sagrado, lo cual, sin duda, le hacía escuchar con distinto talante el diálogo.

Frente a un amante empecinado en negar el presente, volcado todo él a un pasado que se niega a ver como pasado, pues no admite el cambio, Serafina expresa con meridiana claridad su trágica conciencia del cambio, desgarrada interiormente por el doble tirón del pasado —espacio del amor y de la felicidad— y del presente —espacio del honor y del deber. Siendo ambos inconciliables, Calderón, con exquisita y profundísima maestría, logra espacializar a lo largo de esta escena su choque en la actuación total —palabra y gesto— de su personaje femenino. Si por la palabra afirma el espacio del honor y del deber, por las lágrimas afirma el espacio del amor y de la felicidad. La conciencia de la imposibilidad de su conciliación, a la vez que la conciencia de la realidad y el valor de ambos, forman el núcleo dramático de esta extraordinaria escena, para la que, naturalmente, se requería —y se requiere— una no menos extraordinaria actriz. Una actriz que afirme y niegue a la vez el principio de contradicción entre pasado y presente, amor y honor, gozo y dolor, vida y muerte, una actriz capaz de *actuar* este nudo de contrarios que es el personaje, el cual se refiere a sus lágrimas de este modo:

> *Cuando me acuerdo quien fui,*
> *el corazón las tributa;*
> *cuando me acuerdo quien soy,*
> *él mismo me las rehusa;*
> *y, así, entre estos dos afectos,*

como el uno a otro repugna,
las vierte el dolor y al mismo
tiempo, el honor me las hurta,
porque no pueda el dolor
decir que del honor triunfa (I, 292).

La última parte de la escena, repartido cada verso entre los dos interlocutores, es un ejemplo entre los numerosísimos encontrados en la obra total calderoniana, y el segundo entre Álvaro y Serafina, de utilización de la *sticomitia* con la función, no sólo de expresar la simultaneidad y el encadenamiento de dos secuencias paralelas y dispares unidas en un solo ritmo elocutivo, manifestando así, de nuevo, la afirmación y la negación del principio de contradicción (unidad de la dualidad, dualidad de la unidad) que constituye el verdadero núcleo trágico del drama de honor, sino también de revelar fónicamente, mediante el ritmo entrecortado a que obliga tan rápida *sticomitia,* la jadeante angustia y el dolor que obliga a cortar el resuello de los actores.

Quienes todavía niegan la capacidad de Calderón para crear caracteres dramáticos, deben estudiar —aunque lo ideal sería *ver*— esta escena. En ella, el personaje está configurado por esa riquísima cadena de contradicciones entre palabra y acción, entre sistema verbal y corporalidad, necesitando para su total y cabal realización el arte del actor que actualiza en el espacio físico de la escena todos sus complejas virtualidades. Tal vez, la injusta acusación a Calderón, como a los otros dramaturgos del Siglo de Oro, de no crear caracteres esté fundada en la ausencia de una tradición actoral, de un esfuerzo por construir sobre las tablas el personaje, dándole existencia teatral, es decir, a la vez, corporeidad escénica y significación dramática, en el seno de una sucesión de contextos históricos definidos por una variación del gusto estético y del juicio ético que, combinados, determinan el cambio de los estilos dramáticos. ¿Dónde encontrar, por ejemplo, en el siglo XX una historia escénica de Serafina, de Mencía o de Segismundo en España, comparable a la historia inglesa de Hamlet o a la francesa de Fedra, creadora de sucesivas y conflictivas interpretaciones del personaje, en donde, en cierto modo, van cristalizando, mediante sus variaciones, las internas transformaciones de la sociedad que se dice en el personaje? La historia escénica de Segismundo en España, por no mencionar sino al más famoso de todos, no es más que la historia de una repetición, sintomática de la pobreza de imaginación creadora del hombre de teatro español, a la vez sintomática de la pobreza de imaginación creadora de la lectura crítica de nuestro teatro clásico, a la vez sintomática de la incapacidad de asumir creadoramente nuestro pasado cultural. Mientras el teatro español no dé en escena los mil y un rostros de Segismundo —y Segismundo es el signo del personaje clásico en el teatro áureo—, Calderón seguirá siendo nuestro gran desconocido.

* * *

En conclusión, en esta su primera confrontación con el amante, fantasma resucitado del pasado, pasado que vuelve como amenazadora negación del presente, las tres mujeres, fundadas igualmente en la división interior, en el sufrimiento y en la trágica conciencia de la imposible conciliación de pasado (amor, felicidad) y presente (honor, dolor), rechazan al amante, afirmando su deber moral y social, aunque sin poder ocultar su antiguo amor y su presente dolor.

La paradoja trágica, como ya indiqué antes, comienza cuando el heroísmo ético de la mujer, en donde el deber triunfa de la inclinación, da como frutos el malentendido, la sospecha, el miedo, el silencio y la ocultación y, finalmente, su asesinato a manos del esposo.

Las bodas de Leonor, Mencía y Serafina, lejos de ser el final de una historia, constituyen, pues, el principio de otra.

2. El espacio del miedo

Dos elementos de gran importancia dramática están presentes en la estructura de la acción de las tres tragedias: el azar y la ocultación.

El azar constituye, en cierto modo, la invisible espina dorsal de la acción y vertebra la cadena de situaciones que desembocan, como eslabón último, en la catástrofe.

La ocultación es la respuesta inmediata e incontrolada de los personajes mayores —la pareja trágica de marido y mujer, especialmente— a la situación provocada por el azar. Respuesta que, a su vez, provocará una nueva cadena de situaciones que desembocará en la catástrofe.

1. Azar

Uno de los papeles que el azar parece cumplir en las tres tragedias es el de una fuerza activa en la configuración y desarrollo de la acción, semejante por su función dramática al de la *Tyche* [15] en la tragedia griega.

En *A secreto agravio* y *El pintor,* la noticia de la muerte de Don Luis y Don Álvaro determinan las bodas de Leonor y Serafina. La vuelta de los amantes se produce justo el día que los esposos se reúnen, cuando ya es demasiado tarde para impedirlas.

La relación entre azar y tiempo es idudable en este primer caso. Sin la noticia de la muerte de los amantes no se hubiera producido el cambio en el estado de Leonor y Serafina; pero sin la vuelta de los amantes el cambio no constituiría semilla de tragedia. La conexión semántica entre el antes y el después del cambio tiene un fuerte acento irónico —de trágica ironía—, en donde se revela la intervención de una fuerza exterior, desprovista de carácter moral, que el hombre no controla. Es en esta peculiar estructuración temporal de la acción, que refleja el orden irreversible de los acontecimientos, donde se encuentra el primer foco trágico, al que, directa o indirectamente, remiten Leonor y Serafina en distintos momentos de sus trayectorias vitales. La primera, en un texto ya citado antes, pone en relación, de modo oscuro, la muerte de Don Luis y su boda con Don Lope con una fuerza exterior:

Pues si el cielo me forzó (I, 44).

Y, de nuevo, dieciséis versos después, añade:

¡pues forzada me casé
sólo por vengarme en mí! (I, 44).

En cuanto a Serafina, no al principio, sino casi al final de la

[15] Para la *Tyche* en la tragedia y el pensamiento griego vid., por ejemplo, las páginas que a sus distintas acepciones le dedica Green en su libro *Moira. Fate, Good and Evil in Greek Thought,* ob. cit. También Bernard Knox, *Oeddipus at Thebes. Sophocles' Tragic Hero and His Time,* ob. cit.

acción, después que ha sido raptada por Don Álvaro, se refiere a lo ya sucedido en estos términos:

> *Don Álvaro, mi señor,*
> *supuesto que ya este caso*
> *ha sucedido y no tiene*
> *remedio, ¿para qué andamos*
> *arguyendo en lo que hubiera*
> *sido mejor? Ya los astros*
> *lo dispusieron así,*
> *ya lo dijeron los hados,*
> *ya lo admitieron los cielos* (III, 349).

De igual modo, en *El médico,* el azar que interviene en la vuelta y caída del Infante Don Enrique casi a las puertas de la finca donde vive Mencía es calificado en estos términos por el Infante:

> *¡Ay, don Arias, la caída*
> *no fue acaso, sino agüero*
> *de mi muerte!*

Otra intervención fundamental del azar, en una de las encrucijadas mayores de la acción de las tres tragedias, se produce cuando el marido se presenta súbita e inesperadamente en la casa durante la primera visita del amante. La manera de reaccionar de las tres mujeres, aunque sean distintas las circunstancias personales de cada una, según veremos en seguida, es idéntica —ocultar al amante— y produce los mismos resultados: despertar la sospecha del marido.

La relación azar//tiempo, que señalábamos antes, se dobla aquí de una significativa relación dramática entre azar y conducta de los personajes. El azar en la tragedia de honor calderoniana presenta una doble faz dramática; una en relación con una fuerza cósmica, el Tiempo, trascendente a la criatura humana y no controlable, y otra, estrechamente relacionada con el carácter *(ethos)* y su determinaciones psicosociológicas. Todos los demás casos de presencia del azar caen dentro de una o la otra faz [16]. El azar funcionaría así

---

[16] He aquí una rápida enumeración de la presencia del azar en *El médico de su honra.* Por ejemplo: Don Gutierre encuentra la daga del Infante, que pone al cinto, y, al abrazar a doña Mencía, ésta la ve y expresa su

en la tragedia calderoniana como el eje de endentamiento entre naturaleza e individuo-y-sociedad.

Si, por un lado, es cierto que el hombre no puede controlar el orden temporal de los acontecimientos, y no es, por consiguiente, responsable de él, no es menos cierto, por el otro, que sí puede controlar su significación y sus consecuencias, y, por lo tanto, es responsable de sus efectos. O, dicho con las paradójicas y, aparentemente, contradictorias palabras de Serafina, a que antes nos referimos: «supuesto que ya este caso ha sucedido, y no tiene remedio, ... al remedio vamos» (III, 349).

2. Ocultación

No creo que sea necesario probar, puesto que es obvio al espectador//lector de las tres tragedias, la existencia de la ocultación como norma de la conducta, tanto en la esposa como en el marido. En cambio, sí vale la pena discutir cuáles son las circunstancias en que se produce la ocultación, la razón o razones que la determinan y las consecuencias inmediatas y mediatas.

Dejando de lado el hecho de la ocultación del pasado en las tres mujeres, consideremos la situación, idéntica en las tres piezas, antes mencionada, de la ocultación del amante.

En *A secreto agravio* (II, 57-58, 72-74), Don Luis es introducido en la casa por la criada, Sirena, con el permiso de Leonor, que le está esperando en la sala. El comportamiento de ésta es no sólo ambiguo, sino equívoco. Podemos distinguir tres fases: 1) Fundada en su honor y en la conciencia de su condición y estado, decide actuar con rigor, pidiéndole a Don Luis se ausente a Castilla, para lo cual envía a Sirena a decírselo. 2) Sirena regresa con un papel escrito por Don Luis. Las réplicas de Leonor, dobles (en voz alta a la criada y *en aparte)* y contradictorias, expresan, de nuevo, la división entre deber y deseo: se niega a leer el papel, pero desea leerlo. Finalmente, lo lee. 3) Se deja persuadir por su criada a recibir a Don Luis, pues, «oyéndole una vez», según dice

temor; el Infante Don Enrique hiere sin querer en la mano al Rey Don Pedro, Don Gutierre vuelve a encontrar la daga que se le cayó al Infante, Don Gutierre sorprende a Mencía escribiendo una carta al Infante, de la que sólo ha escrito la primera fase, doña Leonor topa con el Rey en la calle delante de la casa de Don Gutierre, justo cuando el Rey acaba de descubrir que Gutierre ha matado a Mencía.

el papel, «se ausentará de Lisboa». Leonor acepta el riesgo con tal de obtener que se vaya: «Que a trueco de que se vaya», dice, «imposibles sabré hacer».

A lo largo de toda esa secuencia, partida en dos, Leonor reitera el motivo del peligro de muerte, si Don Luis no se ausenta (II, 58, 74). Antes de que éste entre, hay un corto monólogo de Leonor, en donde, como en síntesis, se condensa el proceso interior revelador de esa división de la conciencia. Vale la pena citarlo entero, pues no tiene desperdicio en su brevedad:

Amor,
aunque en la ocasión esté,
soy quien soy, vencerme puedo,
no es liviandad, honra es
la que a esta ocasión me puso;
ella me ha de defender,
que cuando ella me faltara,
quedara yo, que también
supiera darme la muerte
si no supiera vencer.
Temblando estoy; cada paso
que siento, pienso que es
don Lope, y el viento mismo
se me figura que es él.
¿Si me escucha?, ¿si me oye?
¡Qué propio del miedo fue!
¡Que a tales riesgos se ponga
una principal mujer! (II, 75-76).

Tomar como interlocutor silencioso al Amor muestra que Leonor se conoce bien y no pretende engañarse a sí misma, pero también muestra que, consciente del peligro, está dispuesta a vencer el amor, fundada en la conciencia de sí, de su dignidad, y en la honra. Hasta aquí es el discurso típico de la heroína escindida entre contrarias fuerzas y decidida a vencer el deseo y cumplir con el deber. Pero, por debajo de la ética del heroísmo, pugna la duda en la fuerza del honor para salvarla de ceder al amor, aunque quede, como recurso último, la voluntad de darse la muerte, si tal sucediera. ¿Cómo interpretaba estos escondidos pensamientos y sentimientos el espectador barroco? ¿Infería de esas palabras la culpabilidad de Leonor o reaccionaba a ellas con una mezcla de piedad y temor, piedad por su agonía y temor por su inseguridad? Tal vez, el espectador —dependiendo, claro está, de su cultura sentimental y moral— se sintiera también dividido entre la comprensión y la reprensión, al captar la profunda e insobornable nota de ambigüedad con que el dramaturgo configura personaje y situación. Creo que los dos extremos son posibles a la vez. En todo caso, me parece más prudente y más justo pensar en Calderón como dramaturgo antes que como moralista, atento a la complejidad y la ambigüedad de la condición humana, nunca resoluble en términos de blanco y negro, bueno y malo, inocente y culpable, como una crítica demasiado drástica, demasiado simplista y demasiado reductora ha pretendido hacer creer.

Las tres fases sucintamente reseñadas y el monólogo citado, además de preparar la tensión dramática de la escena que sigue entre Leonor y Don Luis, predisponen al espectador a verla suspendiendo el juicio, esperando antes de reprobar o aprobar. Calderón, marcando bien la tensión del momento, les hace hablar no del presente ni del futuro, sino del pasado, actualizado en el diálogo ese pasado del que no han podido hablar a solas, y del que resalta lo que en él hay de noble, de puro y de honroso, un pasado brutalmente desviado por el azar. Pasado que, no conteniendo en sí nada reprobable o culpable, según pone de manifiesto su actualización escénica, porta en sí la semilla del mal y de la muerte por relación al presente. La llegada del marido provoca el estallido del miedo de la mujer, miedo expresado al final del monólogo y al comienzo del diálogo, y la ocultación del amante, ocultación que, en este caso concreto, consiste en dejarle a solas en la sala a oscuras, ocultando que haya existido diálogo entre ambos. Diálogo al que, por otra parte, ha asistido como testigo Sirena, y en el que nada objetivamente reprobable ha sucedido.

En *El médico,* el infante Don Enrique es introducido por la esclava Jacinta sin conocimiento de Mencía. La escena tiene lugar de noche, no en la sala casi a oscuras, sino en el jardín en el que Mencía duerme descuidada y en el que brillan luces que ha mandado traer. Dos cosas hay que notar: su ignorancia del peligro que la amenaza y el aparte de Jacinta, en donde late un claro recuerdo de *La Celestina,* confesando «cuántas honras ilustres se han perdido» por culpa de las criadas. No hay, sin embargo, el más mínimo indicio de que Mencía ceda o esté dispuesta a ceder a Don Enrique.

Al contrario, la escena está construida para mostrar, en cuidadosa gradación dramática, las sucesivas reacciones de Mencía: turbación, alteración, disgusto, conciencia del riesgo, miedo, horror, premonición de su propia muerte asociada a la presencia de Enrique. Es ésta la primera de una serie de premoniciones, cada vez más concretas, que, a manera de tupida red de señales, mantienen viva una constante atmósfera ominosa envolviendo toda la acción [17].

¿Cuál es la causa que provoca en Mencía esta incontrolable sensación de miedo, más agudo aún que el que posee a Leonor? ¿Hay alguna posible relación inconsciente entre miedo y culpa? A diferencia de Leonor, Mencía debe defenderse de la agresión sexual del Infante, como claramente indican sus palabras al final de la escena, las cuales permiten visualizar la acción. Las últimas —«¿Cómo no acuden a darme favor las fieras»? (II, 172)— enlazan significativamente (y con qué cruel ironía, que, curiosamente, ha pasado desapercibida a los críticos) con la voz de Gutierre y su inminente entrada en escena. A su voz responde el miedo de Mencía, creciente a lo largo del acto y de la acción entera, quien, con sus palabras [18], parece remachar la asociación Don Gutierre/fieras. En su jardín, Mencía da la impresión de sentirse acorralada, atrapada junto con Don Enrique, sin salida, como así parece dar a entender la repetición, dos veces en el breve espacio de cinco octosílabos, del sintagma «no podéis salir», «salir no podéis» (II, 173). En consecuencia, pide al Infante que se esconda. Sus postreras palabras, en brevísimo soliloquio, justo después de la salida —de escena, no de la casa— de Don Enrique, confesando su temor, y justo antes de la entrada del marido, expresan con meridiana claridad su pensamiento sobre la inocencia y la culpa:

Si inocente una mujer
no hay desdicha que no aguarde,
¡válgame Dios qué cobarde
la culpa debe de ser! (II, 174).

Estas palabras, provocadas por la acción y las palabras del In-

[17] Así en II, 172, 184, 208, y en III, 226.

[18] MENCÍA:

¡Cielos!
No mintieron mis recelos,
llegó de mi vida el fin.
Don Gutierre es éste, ¡ay Dios! (II, 173).

fante [19] al abandonar el jardín para esconderse, contrastan su propia inocencia con la culpa-temor de Don Enrique. Se trata, sin embargo, de una claridad dramáticamente ambigua, pues da como correlato del temor la culpa, y va a ser el temor la gran fuerza que se posesione totalmente de Mencía.

Finalmente, en *El pintor de su deshonra* el amante se presenta súbitamente, sin que medie invitación alguna expresa o tácita de Serafina. Unos diez años posterior a *A secreto agravio,* hay un elemento escénico idéntico en ambas: el mensaje de que es portadora la criada; epistolar en *A secreto,* oral en *El pintor.* Serafina, después de recibirlo, manda a Flora actuar como si no se lo hubiera dado y se niega a ver a Don Álvaro, aunque no puede ocultar su enorme turbación al saber que éste quiere verla (II, 304). Don Álvaro, sin embargo, disfrazado de marinero, entra en la sala sin que Serafina haya podido impedirlo. De nuevo, como en las dos ocasiones anteriores, el dramaturgo vuelve a conceder más tiempo a ambos. El diálogo, más demorado, permite a Serafina, recobrada de su turbación, significar su firmeza, su dignidad, su profundo sentido del honor, su superioridad dialéctica sobre el amante, su clara visión de la realidad, su perfecto dominio de la situación y, desde luego, su absoluta inocencia y autenticidad. Sin embargo, esta mujer, capaz de gran serenidad, de enorme habilidad para razonar lógicamente, de clara inteligencia [20], que acaba de dar una lección de elegancia moral y de *savoir faire,* apenas oye la voz del marido se siente presa del miedo, amenazada de muerte, y pierde por completo el dominio de la situación y la iniciativa para actuar, aceptando la de la criada, que propone esconder a Don Álvaro, y la de éste, que acepta el consejo, no tanto —dice— por su propia seguridad como por la de Serafina. Las últimas palabras de ésta repiten, en parte, las ya citadas de Mencía:

> *¿Que esto sin mi culpa pueda*
> *suceder, cielos divinos?* (II, 310).

---

[19] DON ENRIQUE:

> *No he sabido,*
> *hasta la ocasión presente,*
> *qué es temor. ¡Oh qué valiente*
> *debe de ser un marido!* (II, 174).

[20] Remito de nuevo al excelente análisis de Marc Vitse, ob. cit., pp. 98-106.

Esto, como el vocablo *desdicha* de Mencía, refiere inmediatamente a la llegada fortuita del marido, pero mediatamente a cuanto les sucede a cada una, desde el primer golpe de azar hasta su muerte cruenta. A *esto* reaccionan las tres del mismo modo: con el miedo. Miedo que les hace ocultar a los amantes. Si en el caso de Leonor pudiera pensarse en una posible conexión entre miedo y culpa, no así en los casos de Mencía y Serafina, como palabra y acción de consuno muestran. El hecho, pues, de que las tres obren del mismo modo, poseídas de idéntico miedo, parece invitar a descartar la culpa como origen del miedo. Si alguna conexión existe entre miedo y culpa habría que buscarla a partir del proceso que empieza con la ocultación, *no antes,* en cuyo caso no es la culpa, sino el miedo, el núcleo generador de las acciones que siguen.

La ocultación lleva aparejada, por razón misma de la acción, y no tanto de los caracteres, el disimulo, el cual, a su vez, combinado con el miedo (de la esposa) y la sospecha (del marido), produce el malentendido, que, alterando las bases de la relación entre ambos, va cortando todos los puentes de comunicación, acrecentando el miedo y la sospecha hasta un grado insostenible que se resuelve en la catástrofe. Este proceso, estructurado por la acción como una férrea cadena, puede verse mejor en *El médico de su honra* que en *A secreto agravio, secreta venganza,* donde no están todos los eslabones presentes en la acción, o que en *El pintor de su deshonra,* donde, además, eslabones que, por relación a la estructura trágica de base, pudiéramos tener por episódicos. No es extraño, pues, que, en general, la crítica haya considerado *El médico* como modelo del drama de honor calderoniano y que sea éste el que más estudios ha suscitado. *El médico de su honra* es, en efecto, en términos de dramaturgia, es decir, como sistema de construcción dramática, la muestra más perfecta de estructura trágica, no sólo dentro del universo teatral del honor en Calderón, sino en todo el teatro clásico español de honor.

3. La puesta en marcha de la acción trágica

Consideremos, tomando como modelo de estructura dramática *El médico,* la puesta en marcha de los complicados resortes de la acción trágica. Nada mejor para ello que trazar en sus principios, justo cuando todos los mecanismos de la máquina empiezan a encajar y endentarse los unos en los otros, la primera etapa del itinerario de la acción, enfocando nuestra atención en sus encrucijadas o goznes de articulación dramática mediante la enumeración analítica de sus secuencias o segmentos dramáticos, los cuales se encuentran también, en parte, en *A secreto agravio* y *El pintor.*

1) El amante se esconde y entra el marido. La tensión y la expectación creadas por la situación se prolongan mediante la técnica dilatoria encomendada al diálogo entre los esposos, que intercambian conceptos y finezas amorosos. Por virtud de la situación, la palabra de los personajes adquiere un alto grado de ambigüedad dramática —y, por supuesto, semántica— para el espectador, pues es —puede ser—, a la vez, espejo y máscara, por relación, respectivamente, al personaje y a la acción. Espejo, porque puede expresar sentimientos auténticos, y máscara, porque oculta, tapa o disimula la verdadera situación. Esta ambigüedad, resultante de la sutil relación dialéctica entre acción y carácter, entre *mythos* y *ethos,* que constituye, como ya apunté anteriormente, uno de los caracteres a la vez estructural y semántico de la tragedia de honor calderoniana, tendrá como correlatos y como límites en la cadena teatral el equívoco y el malentendido, según la acción progrese hacia su fin. Esta primera secuencia termina con la salida de escena de Mencía, salida que relanza la expectación, favorece el equívoco y cierra el diálogo en un marco de ambigüedad. ¿Cuál es el plan de Mencía, cuál la «temeraria acción» emprendida para resolver la situación y satisfacer su honor?

2) Decir al marido que ha visto a un hombre, «encubierto y rebozado», en su aposento, y, mientras aquél se dispone a entrar, matar la luz de la vela, dando tiempo a que Jacinta haga salir al amante. La escena, a la que impregna un cierto aire de farsa, termina en un verdadero paso de farsa: en la oscuridad, Don Gutierre, creyendo haber topado con el hombre, apresa al gracioso Coquín. No cabe duda que toda la situación debía de provocar la risa del público, una risa, sin embargo, cuya motivación no es única ni simple. En un primer nivel superficial el espectador ríe por el puro placer del *quid pro quo,* del juego escénico de las equivocaciones; pero esta risa conlleva cierto grado de ridículo para el marido, siendo su efecto dramático sobre el espectador el de distanciarlo. En un segundo nivel, la risa ayuda a aliviar y descargar la tensión dramática implícita en una situación que parece

resolverse sin colisión; este otro aspecto de la risa, en oposición al anterior, supone cierto grado de complicidad con la mujer, capaz de resolver con su plan la difícil contingencia en la que, sin culpa, se vio envuelta. De ahí, la importancia de los dos enunciados, ambos a cargo de Mencía, que enmarcan esta secuencia: el primero, ya citado al final del apartado anterior: su decisión de resolver el problema mirando al honor; el segundo, que cierra la escena, explica el porqué del engaño. En respuesta a la pregunta de Jacinta («¿Por qué lo hiciste?»), dice Mencía:

Porque
si yo no se lo dijera
y Gutierre lo sintiera,
la presunción era clara,
pues no se desengañara
de que yo cómplice era;
y no fue dificultad
en ocasión tan cruel,
haciendo del ladrón fiel,
engañar con la verdad (II, 182).

Los dos enunciados, en posición clave —al principio y al final de la secuencia del engaño— apuntan a justificar la acción de Mencía, la cual se determina a llevarla a cabo en atención a su propio honor [21] y en atención a lo que piensa, siente y sabe de su marido. Si nos fijamos bien en el texto, atendiendo no sólo a lo dicho, sino a lo no-dicho [22], Mencía sólo considera dos opciones: 1) no decir nada a Gutierre; 2) «engañar con la verdad». La primera opción es rechazada en función de su convencimiento de lo que Gutierre haría si «sintiera» la presencia de otro hombre: sospechar de la complicidad de Mencía, sin que hubiera modo de desengañarlo. Es este convencimiento el que lleva a no considerar la tercera alternativa, la no-dicha: decir la verdad a Gutierre. Decir la verdad es, precisamente, lo que no hace Mencía. Como tampoco Leonor ni Serafina. No decir la verdad lanza la acción en un curso del que

[21] No es la primera vez que obra en nombre de su honor (vid. I, 132 y 138) ni será la última (III, 223).
[22] Para la importancia de lo no-dicho en el drama vid., por ejemplo, «Dit et non-dit», en Patrice Pavis, *Dictionnaire du Théâtre,* París, 1980, páginas 127-129.

perderá totalmente el control y que abocará a su propia muerte, que es lo que, en principio, temía y quería evitar. Su decisión de no decir la verdad, sino de «engañar con la verdad», constituye, en el fondo, un error trágico, error en el que incurre no por maldad, malicia o culpa, sino «por ser quien es» ella y «por ser quien es» el marido, estando ese «ser» de ambos fundado en el honor. En consecuencia, desde el punto de vista de la motivación —y toda motivación en el drama clásico tiene dos dimensiones o caras dialécticamente trabadas: una que remite a la acción y otra al personaje [23]— es de gran importancia la fundamentación del convencimiento de Mencía acerca de la conducta (y carácter) del marido, puesto que en ese convencimiento estriba la razón de su propia acción. Lo importante es, naturalmente, cómo el espectador percibe esa motivación, pues su percepción determinará tanto su juicio de valor sobre el personaje como su intelección e interpretación del sentido de la acción. La perfección y excelencia estéticas de una estructura dramática dependen, en gran medida, de cómo el dramaturgo —y, especialmente, el clásico— establece en la motivación la conexión dialéctica entre acción y personaje, pues la motivación no tiene que ver sólo con aquélla o con éste, sino con la unidad acción-y-personaje. Por ello, en *El médico de su honra,* la credibilidad de Mencía como personaje depende enteramente de la relación entre el juicio que funda su decisión de «engañar con la verdad» y la causa que lo ha motivado: el carácter del marido. Esa relación tiene que estar estructurada en la acción misma para que el espectador pueda captarla objetivamente y creer así en la veracidad del personaje. De lo contrario, se producirá una ruptura o cortacircuito entre el punto de vista del espectador y su percepción del conflicto y el punto de vista del personaje y su percepción del conflicto. Este juego entre el punto de vista del espectador y el del personaje es de primera importancia para la recepción global de la acción dramática [24], y está en la base del fenómeno de la identificación o el distanciamiento, tan significativo en el proceso de la comunicación teatral. Calderón construye su acción de manera que produzca

[23] Con ello estoy significando, y me interesa recalcarlo enérgicamente antes de seguir, que mi análisis de la motivación nada tiene que ver con la llamada «psicología del personaje», propia de una concepción realista del drama, que estaría —siempre lo ha estado, aunque se diera y siga dándose— desplazada al considerar el teatro clásico.

[24] Remito de nuevo a mi libro, ob. cit., pp. 26-30.

la posibilidad de la identificación entre el espectador y el personaje de la esposa. Para ello coloca antes, en la segunda parte del Acto I, la historia de Leonor y el papel que en ella tuvo Gutierre. Recordémosla: Gutierre, que había dado a Leonor palabra de esposo, no la cumplió. ¿Por qué? Respuesta: una noche que fue a visitarla vio salir a un hombre de la casa y, pese a la explicación de Leonor, decidió no casarse. Su honor no se lo permitió. Explicación de Leonor: el hombre al que Gutierre vio salir de la casa, no vino a visitarla a ella, sino a una amiga que con ella vivía. Al oír llegar a Gutierre, Leonor pidió al hombre que se escondiera. Prueba de la veracidad de Leonor: Don Arias testifica de la verdad del relato: él fue el hombre que aquella noche salió de la casa. El espectador tiene, pues, prueba en la acción de que la decisión de Mencía está motivada. El espectador sabe, además, que Mencía conoce la relación anterior entre Leonor y Gutierre (I, 147). Finalmente, sobre la recepción dramática de la acción y los personajes por parte del espectador influye también la maldición de Leonor, al final del Acto I, cuyo cumplimiento empieza a realizarse en las secuencias que comentamos. A todas estas capas de significación dramática vienen a unirse todavía dos más. Es la primera el grave, y, en cierto modo, ominoso sentido que emiten las palabras de Gutierre (II, 181), palabras que en sí mismas —sonido y concepto— remiten a un universo trágico en donde el hombre amenaza con la muerte; es la segunda la contradicción entre esas mismas palabras y la situación, contradicción que, si de un lado —el del juego escénico de las equivocaciones, ya mencionado— provoca a risa, de otro —por el contenido y el tono de la voz y lo que sabemos del personaje— provoca cierto conato de temor, pues Gutierre está dispuesto a matar. Cuando la luz se hace en escena Gutierre exclama:

¡Qué engaño, qué error! (II, 181).

La luz no volverá a hacerse al final del drama [25].

3) La riqueza de significados dramáticos de la secuencia anterior, verdadera «máquina cibernética», para utilizar la estupenda expresión de Roland Barthes [26], se enriquece aún más en la siguien-

---

[25] Sobre la luz, vid. A. A. Parker, «Metáfora y símbolo en la interpretación de Calderón», *Actas del Primer Congreso Internacional de Hispanistas,* Oxford, 1964, pp. 141-160.

[26] En *Ensayos críticos,* Barcelona, 1967, p. 309.

te, merced a la concentración de signos ominosos en torno a un objeto que va a tener una extraordinaria importancia dramática: la daga encontrada por Gutierre en el aposento de Mencía. Sus funciones y significados dramáticos en el segmento que nos ocupa son varios, todos ellos enchufados los unos en los otros y capaces de provocar en la acción una reacción en cadena cuyos eslabones son los siguientes: 1) despertar las «sospechas y recelos» de Gutierre; 2) provocar en Mancía un nuevo estallido de miedo y con él la segunda premonición de su muerte, esta vez casi visión o alucinación mucho más vívida y concreta, que la llevan a disculparse sin necesidad y a destiempo; 3) esto relanza las sospechas y recelos de Gutierre.

En esta reacción en cadena de causas y efectos puede notarse fácilmente la presencia de dos resortes: de nuevo, el azar con su cauda de accidentes —el Infante pierde la daga, Gutierre la encuentra y la oculta bajo la capa, ésta se abre al abrazar a Mencía, Mencía la ve...— y el malentendido —Mencía teme por su vida al ver la daga, su disculpa es interpretada por Gutierre como prueba de «aprensión» en Mencía—. Significativamente la secuencia, cuyo final coincide con el final de la escena, termina con la salida de los dos personajes «cada uno por su parte», como señala la acotación. Salida que marca simbólicamente, en el nivel escénico, la separación entre ambos que se cumplirá en el desarrollo de la acción.

La daga del Infante [27], que provoca el comienzo de la separación, y cuya importancia como signo dramático irá aumentando en el drama, terminará siendo instrumento de la muerte de Mencía, cumpliéndose así su primera premonición (II, 172), en donde aparecían asociados su muerte y el Infante.

3. La conciencia alucinada

Si el miedo en la mujer puede considerarse como uno de los motores de la acción, pues determina el curso que ésta va a tomar, el recelo y la sospecha en el hombre pueden también considerarse

[27] Para la daga y otros elementos emblemáticos de las tres tragedias de honor es muy útil el trabajo de Bruce Golden, «Calderón's Tragedies of Honor: *Topoi,* Emblem, and Action in the Popular Theater of the *Siglo de Oro*», *Renaissance Drama* [New Series], III, 1970, pp. 239-262.

como otros de los motores internos de la acción, pues igualmente determinan su curso. Miedo y recelo están, además, dramáticamente religados, causa y efecto, a la vez, uno del otro. Las acciones provocadas por el miedo suscitan la sospecha, la cual provoca nuevas acciones que incrementan el miedo..., en una espiral de creciente intensidad.

Consideremos esta acción en espiral, enfocando nuestra atención en el recelo y la sospecha del marido.

1. Sospecha y recelo

La sospecha parece venir de dentro a fuera, como si estuviera agazapada e inmóvil en el fondo de la conciencia, y fuese la circunstancia o elemento exterior a ella tan sólo un resorte que, accidentalmente, pusiera en movimiento lo que estaba ya en estado de latencia, anterior y preexistente al acontecimiento (palabra, objeto, gesto, acción) que desencadena la reacción interior y la fuerza a verterse y manifestarse.

Aun antes de que se produzca causa objetiva suficiente para despertar las sospechas del marido, éstas brotan como una especie de emanación de la conciencia, haciéndonos pensar en una congénita u orgánica disposición al recelo. Del mismo modo que, al final de la espiral trágica, no es necesaria la prueba objetiva de culpabilidad para condenar a muerte y ejecutar al presunto reo, tampoco al principio parece necesaria causa suficiente de sospecha para sospechar.

En *A secreto agravio,* la sospecha ocurre justo después que Leonor, determinada a mostrarse rigurosa, envía a Sirena a pedir a Don Luis se vuelva a Castilla. Apenas sale la criada, entra Don Lope, para pedir a Leonor licencia de acompañar al Rey Don Sebastián a la guerra de África, licencia que ésta le da, mientras que Don Juan, su amigo, le aconseja lo contrario. Don Lope queda solo en escena y dice su primer monólogo.

Ahora bien, la recepción del significado del monólogo por el espectador no depende sólo de su contenido, sino que está condicionada por la escena que lo precede, la cual, a su vez, ha sido cuidadosamente construida por Calderón, que repite en ella el esquema de la situación inicial del Acto I. En efecto, Don Lope de Almeida decide cambiar el curso de la acción emprendida al principio del Acto I. Si allí había pedido licencia para «colgar las armas», dejando a Marte por el Amor, ahora decide lo contrario. La precipitación en la decisión y ejecución de la acción, puesta ya de relieve burlonamente por el criado Manrique al comienzo del drama, parece repetirse acompañada de una nueva observación sarcástica del criado. Ambos —cambio y observación— influyen en la recepción de acción y personaje por el espectador, máxime cuando los nuevos comentarios de Manrique sacuden irónicamente los fundamentos mismos del deseo de gloria del caballero (II, 59). En la nueva escena, Leonor ocupa la plaza del Rey: el Lope que le pedía a Don Sebastián que le permitiera dejar las armas por Leonor, le pide ahora a Leonor le permita tomar las armas por el Rey. La cual se lo concede, como éste le concedió lo contrario. Y Lope, ahora como entonces, prorrumpe en alabanzas. Apenas transcurrido menos de un minuto de tiempo dramático —menos de dos docenas de versos octosílabos— y sin que el personaje haya abandonado la escena, Don Lope cambia bruscamente de la alabanza a la sospecha. Parece obvio, dada su reiteración, que la tendencia al cambio súbito, a la mudanza inesperada, constituye uno de los rasgos que definen al personaje. En el caso que nos ocupa, alabar a Leonor por el favor que le concede, y que él mismo ha solicitado, y sospechar de ella por habérselo otorgado, además de remitir a la inestabilidad psíquica del personaje, nos pone en contacto con la conciencia recelosa del marido, predispuesto ya a la sospecha.

En *El pintor,* tampoco Don Juan necesita de mucho —la posible, pero nada cierta presencia (para él, se entiende), de un hombre en su casa o una leve señal de Serafina a Flora—, para que la sospecha brote súbita e incontrolada.

Por lo que a Don Gutierre se refiere, le bastaba al espectador, alertado ya por la historia de Leonor, recordar la confesión del puntilloso caballero:

> *y aunque escuché*
> *satisfacciones, y nunca*
> *di a mi agravio entera fe,*
> *fue bastante esta aprensión*
> *a no casarme...* (I, 162-163).

Tan honda es la «aprensión» que, no ya explicaciones aclaratorias, pero ni siquiera la duda de haber sido agraviado pueden desarraigarla. ¿Qué mejor ejemplo del funcionamiento de la conciencia recelosa que esas palabras? La fuente de la sospecha parece, pues, estar en la conciencia, no en la realidad, aunque aquélla necesite del concurso de ésta para que el proceso se desencadene. Es en los soliloquios donde se nos hace ver las relaciones entre conciencia y realidad, así como las mutaciones y sustituciones a que la última es sometida.

2. El escenario de la conciencia

Desde la conciencia recelosa del marido, cada gesto, cada palabra, cada acción exterior a ella, cada elemento de la realidad, vendrá a significar lo que no es, como si la conciencia individual, en vez de responder a los datos objetivos de la realidad exterior, los hipostasiara, creando a partir de ellos otra realidad, imaginaria, que desplaza a la primera hasta sustituirla, y en la cual se instala y obra el personaje como si fuera ésta la única y verdadera realidad.

Esta especie de transformación «alucinatoria» de la realidad [28] empieza cuando el hombre queda a solas consigo mismo. A solas consigo mismo, quiere decir, en el drama de honor, a solas con su honor y sus sospechas, pues solamente cuando éstas irrumpen por la palabra interior, rompiendo el círculo silencioso de la conciencia, se hace dramáticamente presente el honor como un Tú de exigente compañía, como un juez severo y terrible, justo en la intersección del Yo y el Nosotros, del individuo y la colectividad. El escenario de la conciencia es, por el honor, el lugar de la colisión entre fuerzas conflictivas representativas de dos dimensiones existenciales del ser humano: la individual y la social.

En el umbral del discurso *(A secreto agravio)* o al final de él *(El médico),* la más poderosa fuerza que accede al escenario de la conciencia son los celos, que el héroe se esfuerza, apenas cobran existencia por la palabra, en rechazar y ocultar, aunque inútilmen-

[28] En su *Tesoro de la lengua castellana,* dice Sebastián Covarrubias de *aluzinar:* «Es verbo latino, y algunos, demasiado de bachilleres, le han introducido en la lengua castellana. Es como adivinar una cosa, que ni se sabe ni se entiende bien, al modo del que entre las dos luces, o de la tarde o de la mañana, viendo una cosa le parece otra de la que es.»

te, llegando a alcanzar cotas de enorme violencia [29]. De manera sistemática, el campo semántico de los celos está constituido por los vocablos clave *veneno, áspid, ponzoña, víbora,* es decir, es visto y predicado como fuerza destructiva endógena que, engendrada por uno mismo, a uno mismo mata [30]. A esta fuerza violenta y destructora se opone la luminosa y ordenadora de la razón que analiza y criba los datos de la realidad en busca de una respuesta que satisfaga al honor. El análisis de la realidad por la razón es siempre correcto y recibe la aquiescencia del espectador, único que, en verdad, conoce los actos y las intenciones de la esposa. Sin embargo, las conclusiones de tan brillante ejercicio analítico de la razón, son, de pronto, suspendidas y rechazadas, como los celos. Tanto en el primer monólogo de Don Lope de Almeida como en el de Don Gutierre Solís se produce un corte, salto o ruptura en el discurso interior del héroe: de la esfera personal de los celos o de la razón individual, celos y razón que encarnan las fuerzas oscuras o luminosas del ser humano concreto, de carne y hueso, se pasa, sin transición, a la esfera colectiva del valor social, abstracto, de la persona, encarnada verbalmente en ese yo «soy quien soy» y ella «es quien es» [31]. Este salto del territorio de la identidad individual al de la identidad social, no sólo invalida la habilidad y la capacidad de la razón para conocer la verdad y entender la realidad, sino que aboca a la sustitución de la realidad misma por una metáfora, idéntica en ambos casos, y en otros muchos en los que se llega a la misma encrucijada:

DON LOPE: *Leonor es quien es y yo*
soy quien soy, y nadie puede
borrar fama tan segura
ni opinión tan excelente.
Pero sí puede, ¡ay de mí!
que al sol claro y limpio siempre,
si una nube no le eclipsa,
por lo menos se le atreve,

[29] Especialmente conocida es, en *El médico,* la violentísima explosión de celos de Gutierre al final del Acto II.

[30] *A secreto,* II, 65; *El médico,* II, 195. La feroz ironía es que otras serán las víctimas.

[31] Vid., por ejemplo, Leo Spitzer, «Soy quien soy», *Nueva Revista de Filología Hispánica,* I, 1947, pp. 113-127, y II, 1948, p. 275.

y si no le mancha, le turba,
y al fin al fin le oscurece
(A secreto agravio, II, 66-67).

DON GUTIERRE: *Y así acortemos discursos*
pues todos juntos se cierran
en que Mencía es quien es,
y soy quien soy. No hay quien pueda
borrar de tanto esplendor
la hermosura y la pureza.
Pero sí puede, mal digo;
que al sol una nube negra,
si no le mancha, le turba,
si no le eclipsa, le hiela (El médico, II, 194).

En ambos casos, justo después de la metáfora, queda como habitante único del escenario de la conciencia el honor, autor y actor soberano del drama que empieza cuando la metáfora sustituye a la realidad [32].

La metáfora constituye, y ello es harto conocido, un tópico mediante el que se predica hasta la saciedad la condición vidriosa del honor en tanto que ente social, colectivo y abstracto. Lo que me interesa subrayar no es su contenido semántico, sino su colocación matemática en esa encrucijada estructural del discurso monológico en que se salta del universo individual al colectivo y abstracto del honor, y la realidad —mujer, hombre, celos, razón, gestos, acciones, palabras— es sustituida por la metáfora, la cual reduce el complejo sistema de las relaciones reales entre individuos a la elemental y mecánica relación de la pareja «sol»/«nube». A partir de este momento, clave para el desarrollo global de la acción, en que, reprimidos, rechazados o negados los celos, la razón y la realidad misma son sustituidas por la metáfora, podemos decir que la suerte está echada para la esposa: sus actos y sus palabras serán percibidos, entendidos y juzgados desde el abstracto y reductor cristal de la metáfora.

Lo que rechaza el héroe, al rechazar los celos y la capacidad analítica de la razón para conocer e interpretar lo real, son las motivaciones individuales, pues el Yo que monologa es, precisamente, el campo de batalla y, a la vez, el lugar de la simbiosis del yo

[32] *A secreto agravio,* II, 67; *El médico,* II, 194.

personal y el yo colectivo. En la pugna interior entre ambos, que el monólogo sustancia y revela, y a los que Calderón denomina pasión de amor y pasión de honor [33], esta última —para seguir el lenguaje del dramaturgo—, objetivada en «ley del mundo», desplaza a la primera y acaba tomando entera posesión de la conciencia. Don Lope de Almeida, Don Gutierre Alfonso y Don Juan Roca, divididos interiormente —y su ser o su entidad dramática consiste en esa división— llegarán a través de las mismas interrogaciones y de las mismas quejas a idéntica decisión: la esposa debe morir.

¿Cómo llega el héroe a esa decisión? ¿Quién y qué le obliga a matar? En los monólogos se presenta a sí mismo como víctima de la ley del honor, a la que acusa de bárbara, de injusta, de infame [34].

Sin embargo, la obedece, aun sabiendo que tal obediencia implica enajenación de la propia libertad y complicidad con el mal. Oigamos lo que dice Don Juan Roca, en representación de los tres:

> *¿Mi fama ha de ser honrosa,*
> *cómplice al mal y no al bien?*
> *¡Mal haya el primer, amén,*
> *que hizo ley tan rigurosa!*
> *¿El honor que nace mío,*
> *esclavo de otro? Eso no.*
> *¡Y que me condene yo*
> *por el ajeno albedrío!*
> *¿Cómo bárbaro consiente*
> *el mundo este infame rito?* (El pintor, III, 364) [35].

Protesta e interrogación tienen en todos los monólogos de honor una doble función dramática. De una parte, subrayar la lucidez de la conciencia del personaje, lucidez que en ningún momento pierde, ni siquiera cuando en un proceso cerebral de rigurosa lógica el propio personaje desmonta en el análisis y critica sus propias sospechas y los datos de la realidad que ellas mismas van a

[33] «Si amor y honor son pasiones//del ánimo»; *El médico,* I, 163.

[34] «Locas leyes del mundo», *A secreto agravio,* III, 98; «injusta ley», *El médico,* II, 194; «ley tan rigurosa», *El pintor,* III, 364.

[35] Vid. también *A secreto agravio,* III, 99; y *El médico,* II, 194.

sustituir. De otra parte, muestran el carácter de necesidad del asesinato que va a seguir. Protesta e interrogación no abren camino a la elección, porque no son manifestaciones de la libertad ni expresan la duda y la agonía de una conciencia libre. Sirven, en cambio, para dar expresión y hacer ver, en forma pura y limpiamente dramática, la impotencia del individuo, atrapado en el gran mecanismo social e ideológico, interiorizado, hecho forma y molde interior del ser, en que se encuentra prisionero y contra el que, de verdad, no puede rebelarse, pues sería rebelarse contra sí mismo, el «sí mismo» del «soy quien soy».

Así, por ejemplo, Don Lope de Almeida concluirá su secuencia de protestas e interrogaciones con estas palabras:

> *Pero acortemos discursos;*
> *porque será un ofendido*
> *culpar las costumbres necias,*
> *proceder en infinito.*
> *Yo no basto a reducirlas,*
> *con tal condición nacimos;*
> *yo vivo para vengarlas* (A secreto agravio, III, 99).

Y Don Juan Roca le dirá a su criado, a continuación del monólogo citado:

> *No ha de saber quién soy,*
> *pues no soy mientras vengado*
> *no esté...* (El pintor, III, 366).

Si Don Lope transforma automáticamente las «locas leyes del mundo» en «condición» con que se nace, Don Juan parece significar en ese «soy», que se trata de ser no ante Dios ni ante sí mismo, si entendemos por «sí mismo» el yo individual, sino de ser ante el *otro yo,* el colectivo, objetivado —como antes apuntaba— en la conciencia, de la que termina posesionándose. Se es, pues, yo ante el mundo y para el mundo, vivido, sentido o percibido no como objeto exterior a la conciencia, sino como objeto interior a ella, como la forma interior de la conciencia alienada. Lo que el monólogo de honor calderoniano parece estar expresando es esa terrible y fascinante operación de absorción —iba a decir de manducación— del yo individual por el yo colectivo, del uno por el nosotros, al que llamamos hoy alienación [36]. Es esa operación ritualizada en un monólogo y en una acción trágica, lo que nuestros dramas de honor estarían poniendo de pie sobre el espacio escénico.

Lo mostrado en ese otro espacio interior de la conciencia es el acto de la entrega del héroe al mundo y su total posesión por él. Es el mundo la verdadera deidad de ese universo dramático [37]. Mundo cuya esencia y condición tiránica, así como su virtud alienadora, quedan puestas al descubierto, simbólicamente, por medio del honor, que no es sino su signo dramático, su modo de manifestación teatral, su revelador ideológico, donde queda patente y al descubierto su poder. Mundo cuyo dominio sobre el hombre parece ser absoluto, hasta el punto de sustituir, suplantándolo, su ser personal, su identidad individual.

A partir de ese acto de entrega y posesión, de renuncia a la propia conciencia individual, absorbida por la conciencia colectiva, todos los elementos considerados —miedo, recelo, ocultación, malentendido— llegan a su colmo dramático, y el héroe, desde el último malentendido —un abrazo en *El pintor,* la primera frase sin terminar de una carta en *El médico*—, desemboca inexorablemente en la única solución posible: el asesinato de la esposa.

La transformación, antes señalada, del «infame rito», de las «locas leyes del mundo» en «condición» con que se nace o en «ser», no se cumple, sin embargo, sin sufrimiento por parte del héroe [38]. Es, precisamente, ese sufrimiento el que le impedirá perder su estatura humana. Sin él, Don Lope, Don Gutierre, Don Juan serían sólo monstruos o abstracciones, posibilidades ambas que el gran dramaturgo que es, antes que nada, Calderón no acepta, pues su materia es el individuo humano en su mundo, conflictivamente enfrentados.

---

[36] Me ha parecido interesante constatar la existencia y el significado de esta palabra en un texto renacentista del Dr. Francisco de Villalobos, cap. 6 de sus «Glosas o Comentarios» a la traducción, también suya, del *Anfitrión,* de Plauto: «Esta imaginativa adolece algunas veces de un género de locura que se llama *alienación* [subrayo yo], y es por parte de algún malo y rebelde humor que ofusca y enturbia el espíritu donde se hacen las imágenes, fórmase allí la imagen falsa, causada según la hechura y fuerza del humor que allí se pone...», *BAE,* tomo 36, p. 489 *a.*

[37] Vid. el estudio de Peter N. Dunn, «Honour and the Christian Background in Calderón», *Bulletin of Hispanic Studies,* 37, 1960, pp. 75-105.

[38] Vid., por ejemplo, *A secreto agravio,* III, 97-98, o *El médico,* III, 219-20.

4. La solución final

La ideologización —voluntaria o no— de la crítica de los dramas de honor calderonianos, desde la Ilustración hasta el presente, ha tendido, según la postura ideológica del crítico, a leerlos de dos modos contrapuestos: como una defensa del honor o como su ataque y denuncia. La historia de esa doble recepción daría, sin duda, materia para un interesantísimo y apasionante estudio. Mostraría, quizá, cómo Calderón es convertido en un dramaturgo eminentemente conservador y retrógrado, ideológicamente hablando, o en un dramaturgo protestatario y avanzado —más o menos—, dependiendo de la lectura ideológica que el crítico elija hacer. Más curioso aún sería descubrir cómo, desde una ideología de las derechas, Calderón es propuesto como paladín del honor nacional, no sin censurar, a veces, lo antipático del código del honor, mientras que para las izquierdas que leen a Calderón *desde* las derechas o *como* las derechas, es decir, no directamente, sino a través de un estereotipo, será nuestro dramaturgo un simple criado al servicio del poder. Ni siquiera la crítica universitaria contemporánea, incluida la no española, se ha visto siempre libre de contagio, cayendo en algunas ocasiones, aunque sin propósito deshonesto de manipulación alguna, en la tentación de la lectura ideológica del drama de honor, siempre, claro está, por reacción a la otra reducción ideológica, para probar que Calderón denunciaba el código de honor.

Esta sutil carga ideológica ha sido —y sigue siendo— decisiva en la interpretación del asesinato de las esposas por sus maridos, la cual depende de que elijamos, querámoslo o no, ver el invisible mapa de signos implícitos sembrados por el dramaturgo en la configuración del universo dramático de la tragedia de honor calderoniana. O, dicho en términos fotográficos, depende de si vemos o no el *negativo* a revelar en la estructura del drama.

Escrito lo que antecede, pues era de rigor poner las cartas boca arriba y presentar la cédula de identidad, consideremos, sobre todo desde el punto de vista de su construcción dramática, el asesinato que cierra el último círculo de la espiral y la tragedia.

1. El asesinato

Si, como ya he indicado varias veces en páginas anteriores, es importante para la recepción de los significados de la obra teatral la relación de coincidencia o de oposición entre las interpretaciones que personajes y espectadores dan de la realidad —acciones, palabras, silencios— del universo dramático, en la tragedia de honor calderoniana esa relación es esencial, no sólo para su intelección, sino para su fruición estética, pues —ya lo dijimos también— una de las fuentes de la emoción dramática está, precisamente, en la progresiva desviación, ruptura y conflicto de las interpretaciones de personajes y espectadores.

Dados el sistema ideológico y la estructura dramática del mundo en el que los personajes se mueven, y dada la específica percepción en él por parte de la pareja trágica de la realidad y de las relaciones entre sí y con los otros, percepción fundada desde el arranque hasta el cierre de la acción en la red de circunstancias férreamente encadenadas —azar, recelo, miedo, ocultación, malentendido—, el hombre no parece tener otra salida que matar a la mujer, aunque la decisión de matar le cause sufrimiento e, incluso, conectada con su origen, la afrenta, le haga prorrumpir en palabras donde expresa su desesperación y su deseo de autoaniquilación. Oigamos, unas a continuación de otras, las quejas de Don Lope y Don Gutierre:

Don Lope: *¿Hay hombre más infelice?*
¿No fuera mejor castigo,
¡cielos!, desatar un rayo
que con mortal precipicio
me abrasara...? (...)
Cayeran sobre mis hombros
esos montes, y obeliscos
de piedra fueran sepulcros
que me sepultaran vivo

(A secreto agravio, III, p. 97).

Don Gutierre: ... *muera Mencía de suerte*
que ninguno lo imagine.
Pero antes que llegue a esto
la vida el cielo me quite,

porque no vea tragedias
de un amor tan infelice.
¿Para cuándo, para cuándo
esos azules viriles
guardan un rayo? ¿No es tiempo
de que sus puntas se vibren,
preciando de tan piadosos?
¿No hay, claros cielos, decidme,
para un desdichado muerte?
¿No hay un rayo para un triste?
(El médico, III, 219).

Estos acentos de dolor, en cuya raíz me parece ver no sólo vislumbres de desesperación, sino asomos de protesta e, incluso, de desafío, y que, sin duda, debían de constituir momentos de lucimiento para el actor que representara el papel, apelan con su patetismo de buena ley y su ímpetu y brío invocativo a provocar en el espectador cierto grado de respuesta emotiva. Esta breve y última, aunque intensa, explosión de humanidad, importante, según creo, para la recepción del personaje y de su acción —sufre, pide la muerte, pero será él quien mate— contrasta brutalmente con la secuencia de la preparación y ejecución del asesinato, de donde ha desaparecido toda emoción humana. Esos dos momentos antagónicos del personaje, no sólo psicológicos, sino, sobre todo, dramáticos, cuyo contraste sería difícil que no captara el espectador, corresponden a esos dos niveles de realidad no conciliados que definen la estructura profunda del drama de honor, y cuyas formulaciones —amor/honor, deseo/deber, conciencia/sistema, libertad/código, imaginación/norma, pasado/presente, etc.— hemos venido señalando a todo lo largo de estas páginas. Es esa bipolaridad que constituye a la pareja trágica y al universo dramático la que provoca idéntica polarización en el espectador, dividido entre las opciones contrarias.

Aunque, como veremos en seguida, los tres asesinatos sean escénicamente distintos, coinciden en idéntico índice de impersonalidad, pues los tres son premeditados a sangre fría en obediencia a unas normas fijas, es decir, fijadas de antemano, aunque no por el héroe, sino por un Todos-y-Nadie, impersonal, que le da al asesinato su carácter también impersonal. Siendo el héroe calderoniano capaz, como Otelo, de sentir con monstruosa intensidad los celos y de expresar, como Gutierre, el furor asesino y ciego del hombre por ellos poseído, no mata, sin embargo, cegado por la pasión, «en caliente», sino «en frío», después de haberlo calculado todo. Y es en y por la ejecución puntual e impersonal del crimen, en contraste dramático con la explosión de celos o de dolor, crimen cuya técnica —secreta venganza a secreto agravio o pública venganza a público agravio— está rigurosamente fijada en el «infame rito» del honor, en donde las categorías de lo lógico y lo necesario, según el sistema ideológico configurado en mundo dramático, y de lo monstruoso y absurdo, según la conciencia individual, revelan su indisoluble unidad dialéctica. El crimen de honor es, a la vez, lógico y absurdo, necesario y monstruoso. He ahí la paradoja trágica del drama de honor calderoniano.

* * *

Consideremos ahora el asesinato como realidad escénica, señalando algunas de sus particularidades.

En *El pintor de su deshonra,* el crimen es ejecutado en escena, a la vista del espectador, mediante dos disparos del marido, sin que la sangre tenga más existencia que la verbal, coincidiendo en esto con *A secreto agravio.* Ésta y *El médico* coinciden en la ejecución del crimen fuera de escena, pero se diferencian por la intensidad y la fuerza de su presencia verbal, así como por la ausencia o presencia de la sangre como objeto, a la vez, verbal y escénico. En *A secreto agravio,* el propio marido, solo en escena, cuenta, de manera escalofriantemente escueta, la muerte de Leonor antes de que ésta ocurra, pero después de haber matado ya al amante ahogándolo en el mar. En *El médico,* el asesinato de Mencía está mucho más elaborado y forma parte de la acción representada. Calderón inventa, como pórtico al asesinato, una escena dedicada exclusivamente a la protagonista, de gran importancia dramática y escénica por la imagen que proyecta sobre el espacio teatral. Me refiero a la espléndida escena en la que Mencía, volviendo en sí de su desmayo, descubre el papel donde Gutierre ha escrito su sentencia de muerte. Da voces, y nadie responde. Busca salir del cuarto, pero la puerta está cerrada, y las ventanas, con hierros que refuerzan la imagen del encierro, dan a unos jardines por donde nadie pasa. Es una escena donde Calderón consigue expresar magistralmente la angustia y el terror de la víctima, atrapada en el cuarto cerrado de la casa vacía, impotente para defenderse y probar su inocencia. El espacio escénico y su aterrorizado y solo habitante parecen sugerir, además de la cárcel y de la trampa, la imagen de la tumba y su «vivo cadáver», como la llamará poco después su carcelero, juez y ejecutor (III, 23). Esta visión escénica de Mencía viva es la última que el espectador recibe y la única que podrá proyectar imaginativamente sobre el espacio teatral mientras Ludovico, el Sangrador, describa el cuerpo de Mencía, invisible para el espectador:

> *Una imagen*
> *de la muerte, un bulto veo*
> *que sobre una cama yace;*
> *dos velas tiene a los lados,*
> *y un crucifijo delante.*
> *Quién es no puedo decir;*
> *que con unos tafetanes*
> *el rostro tiene cubierto* (III, 230).

Gutierre ordena cómo debe matarla Ludovico:

> *Que la sangres*
> *y la dejes que, rendida*
> *a su violencia, desmaye*
> *la fuerza, y que, en tanto horror,*
> *tú atrevido la acompañes,*
> *hasta que por breve herida*
> *ella expire y se desangre* (III, 230-231).

Proyección que es provocada, además, por los estrechos paralelismos y simetrías de léxico y de imagen que el dramaturgo establece entre el enloquecido discurso de Mencía y las réplicas del diálogo citado de Ludovico y Gutierre.

La muerte de Mencía, ejecutada ya, vuelve a cobrar realidad escénica en boca, de nuevo, de Ludovico, quien, al contarla al Rey, repite *sólo* las últimas palabras de la víctima, significativamente centradas en su inocencia (III, 234-235). Y no menos, sino más significativamente, de su inocencia dará también testimonio Coquín en la escena que sigue inmediatamente a la anterior, a la que, por razón de su importancia, volveremos en seguida. Finalmente, la muerte de Mencía vuelve a ocupar el centro de la atención dramática, por boca, primero, de Gutierre, con estas palabras que hacen resaltar el carácter cruento de la escena verbalizada:

Veo de funesta sangre
teñida toda la cama,
toda la ropa cubierta,
y que en ella, ¡ay Dios!, estaba
Mencía, que se había muerto
esta noche desangrada (III, 241).

Verbalización que no es suficiente esta vez para el dramaturgo, pues a las palabras sigue súbitamente la materialización escénica del cuerpo desangrado de Mencía, según indica la acotación: *Descubre a doña Mencía en una cama, desangrada.* La visión brutal, realmente brutal, del cuerpo desangrado en la cama teñida de sangre, físicamente presente en escena, debía de producir —y sigue produciendo— un impacto terrible sobre los espectadores.

Los tres dramas de honor terminan, y en ello vuelven a coincidir, con la presencia de los cuerpos de las mujeres, cuya existencia escénica preside físicamente la escena final, a la que, de toda necesidad, y necesidad pura y limpiamente teatral, imponen un *sentido visual* que se añade, alterándolo e impregnándolo, al significado de palabra y acción. Por su nuda presencia escénica, el cuerpo de la mujer ilumina semánticamente la entera atmósfera del final de la tragedia, como una especie de potente foco de luz inmóvil que bañara las últimas palabras, acciones, gestos y silencias de los personajes.

2. El Bufón y el Rey

Coquín, que en su primera escena con el Rey se presentaba a sí mismo como «cofrade del contento», «mayordomo de la risa», «gentil hombre del placer» y «camarero del gusto» (I, 156), y que, como sus otros hermanos de la cofradía del contento —Manrique y Juanete, por no mencionar otros ilustres como Clarín o Pasquín—, difícilmente resistía la tentación del chiste, el juego de palabras, el estilo parabólico, el cuento metafórico, la vulgaridad detonante o incluso la grosería escatológica, en su última escena con el Rey, renunciando a todos sus privilegios y franquicias de figura del donaire, a quien «su humor le abona» (I, 144), según la certera expresión del Infante Don Enrique, se presenta como «hombre de muchas veras», decidido a hablar al Rey, aunque éste le mate. Esta decisión, además de romper el estereotipo del gracioso cobarde, poniendo en cuestión su caracterización *standard* como personaje, y de revelar un fondo de humanidad grave y noble capaz de responsabilidad y de compromiso serio con la verdad, da pie a una escena capital, a mi juicio, para la intelección de la tragedia de honor.

El discurso de Coquín contiene el relato abreviado de sucesos representados en el espacio escénico, relato que, como tal, supone un punto de vista, una interpretación y un juicio de valor sobre lo sucedido, además, naturalmente, de una intención y una finalidad. La finalidad es la de salvar a Mencía de la muerte apelando a la piedad del Rey; la intención, decir la verdad como «hombre bien nacido» obligado, como tal, a «una honrada acción»; el juicio de valor, declarar la inocencia de Mencía y el error de Gutierre; la interpretación, hacer ver la conjunción en Gutierre de falsa información, falso pundonor («viles celos de su honor»), falsas sospechas, acción cobarde («con pies cobardes»), impulsada por los celos; el punto de vista, el de quien, a la vez dentro y fuera del sistema, puede escapar a las leyes del honor que rigen, no sólo las conductas, sino la percepción de la realidad de los otros personajes. Si el gracioso escapa a esas leyes, es porque su función como personaje dramático consiste en encarnar una concepción de la vida fundada en principios opuestos a los que rigen la conducta del caballero. El gracioso es, dentro del mundo que expresa el drama de honor —aunque no sólo en él, según vimos en el Pasquín de *La cisma de Inglaterra*—, la excepción a la regla. Y, como excepción, asume el punto de vista distanciado, único, dentro del mundo del drama, desde donde puede disociarse la contradicción trágica entre la necesidad y la monstruosidad del asesinato. Coquín tiene que suspender por un momento —sólo por un momento, pero decisivo— su oficio y su papel de «hombre de burlas con loco humor», es decir, de bufón, pues, «llegando a veras», hay que hablar la verdad y descubrir lo que hay detrás o debajo de las apariencias.

Naturalmente, la significación y la función dramáticas de esta escena dependen, una vez más, de la relación de identidad o de oposición entre el punto de vista de Coquín y el punto de vista del espectador. De ahí, la importancia de la relación de concordancia, incluso de identidad, entre la acción *vista* por el espectador y la acción *relatada* por el personaje. Dada esa concordancia entre lo visto y lo contado, la versión que de lo acaecido da el gracioso pasa a identificarse con la única versión *normal* de los sucesos. Sin embargo, tampoco debe eliminarse la posibilidad de que se produjera entre los espectadores el mismo conflicto de interpretaciones que entre los personajes dentro del mundo dramático, lo cual, en parte, depende no sólo de cómo mirara la acción representada en la escena del corral, sino de la función que asignara a la figura del donaire dentro del sistema teatral de la «comedia».

Un elemento estructural de particular interés, en el que no parece haberse reparado, es aquel que podríamos calificar de ruptura de la secuencia informativa. El relato de Coquín, que sigue en la representación escénica al relato de Ludovico, es, sin embargo, por su contenido informativo, anterior al del Sangrador. La pregunta obvia es: ¿por qué el relato de Coquín, que corresponde a una secuencia temporal de la acción anterior a la del relato de Ludovico, es escenificado después? O, lo que es lo mismo: ¿por qué Calderón elige dar precisamente ese orden a la acción dramática?

Para el espectador, que sabe ya que Mencía ha muerto, quién la ha matado y cómo, la posposición podía tener varios sentidos y producir varios efectos: sentimiento de la inutilidad de la «honrada acción» de Coquín; conciencia, productora de emoción dramática, del *demasiado tarde* del intento del gracioso; conturbadora sensación de presencia de la cruel fatalidad que se ceba en la «infelice mujer perseguida de su estrella», según la evoca Coquín; confirmación, con la consiguiente intensificación y descarga emotiva, de la condición de víctima inocente de la heroína... A diferencia del espectador, que, basado en la información anterior que posee, asocia los dos relatos a una sola y la misma acción, el Rey, que carece de aquella información, ve los dos relatos como correspondientes a dos acciones distintas, cuya conexión no ha podido establecer todavía, aunque lo hará inmediatamente en la escena que sigue. También el espectador —no hay que olvidarlo— es testigo de esa ignorancia y ese conocimiento del Rey, y puede comparar y valorar sus reacciones en ambas situaciones. A los dos relatos responde el Rey del mismo modo, significado en la recompensa dada a Ludovico (III, 235) y la ofrecida a Coquín por «tal piedad» (III, 237). Esta idéntica respuesta del Rey a dos acciones, para él no sólo distintas, sino cumplida ya la una e incumplida todavía la otra, quizá muestran lo que, implícitamente, podría entenderse como signo de piedad tanto frente a la acción pasada —la cual le produce tristeza, asombro, desasosiego, deseo vehemente de encontrar la casa— como frente a la acción futura. De tal modo desea llegar, guiado por Coquín, a la casa de Gutierre, que inventa una excusa para entrar en ella al filo del amanecer, y añade:

y una vez
allá, el estado veremos
del suceso; y así haremos,
como Rey, supremo juez (II, 238).

Finalmente, conviene no olvidar que tanto el relato de Ludovico como el de Coquín predican, implícita o explícitamente, en cada caso, la inocencia de la mujer.

Es a la luz de esta escena entre el Bufón y el Rey, como hay que leer la siguiente, en la que este último, al descubrir una mano sangrienta en la puerta de la casa de Gutierre y establecer la conexión entre los dos relatos, exclama, *para sí mismo,* en aparte:

Gutierre sin duda es
el cruel que anoche hizo
una acción tan inclemente.
No sé qué hacer. Cuerdamente
sus agravios satisfizo (III, 239).

Palabras, cuya flagrante contradicción entre sí —¿cómo compaginar *cruel* e *inclemente* con *cuerdamente?*— y con la acción representada y el relato de Coquín, testigo de excepción, nos llevan a la escena final.

Coquín, que, a la observación del Rey —«No es ahora tiempo de risa»—, había respondido profundamente con una pregunta —«¿Cuándo lo fue?»—, cuya resonancia va más allá de la circunstancia concreta, preñada como está de sentido trascendente [39],

---

[39] He aquí el diálogo:

REY: *¿Con qué he de pagarte*
tal piedad?
COQUÍN: *Con darme aprisa*
libre, sin más accidentes,
de la acción contra mis dientes.

estando presente en la escena final, permanecerá en absoluto silencio.

Si nos es imposible responder a estas preguntas (¿cómo representaba el actor el silencio de su personaje en la escena final? y ¿cómo interpretaba o recibía el público ese silencio del personaje?), sí podemos, en cambio, destacar la importancia de esa escena en que Coquín, arriesgándose a romper el silencio y desnudándose de su apariencia de hombre de burlas, renuncia a las burlas y a las apariencias. Curiosa escena ésta, en efecto, entre el gracioso y el Rey, pues no es frecuente que el Bufón diga al Rey:

Oye lo que he de decir,
pues de veras vengo a hablar,
que quiero hacerte llorar,
ya que no puedo reír.

3. La escena final

Unánimemente, los críticos de ambos mundos y de ambos siglos, desde las conferencias de Menéndez Pelayo en 1881 hasta las conferencias de los calderonistas de hoy en 1981, sin que sea óbice su ideología o su concepción del teatro y de su función social y estética ni el lenguaje o el método críticos que emplean, convienen en señalar la aberración, la crueldad, la monstruosidad o la desolación de la última escena.

Antes de concluir, consideremos brevemente y por separado cada escena final, atendiendo a su específica configuración dramatúrgica y recordando sus particularidades propias.

Rey: *No es ahora tiempo de risa.*
Coquín: *¿Cuándo lo fue?*

El «cuándo lo fue» de Coquín puede entenderse no sólo referido al «antes» en la acción, en que no consiguió hacer reír al Rey, sino también a la acción entera, en que nunca ha sido tiempo de reír; pero también, transcendiendo la situación de este drama concreto, puede entenderse cargada de otras resonancias universales. Vid. Carol Bingham Kirby, «Theater and History in Calderón's *El médico de su honra*», *Journal of Hispanic Philology, 5*, 1981, pp. 126 y 129.

A secreto agravio, secreta venganza

Presentes en escena el Rey y su séquito de nobles y criados, así como Don Juan, amigo y huésped de Don Lope, y Manrique, que han escapado del incendio provocado por Don Lope, sale éste con *doña Leonor, muerta, en sus brazos.* Su discurso, acribillado de lamentos, vertebrado por la voz que expresa su dolor, su desconsuelo, su desdicha y su ansia de muerte, parece tan verdadero, que a quienes, ignorantes de todo, lo oyen, les mueve a exclamar —y aquí es el Rey su portavoz—: «Notable desdicha ha sido.»

Para el espectador que, único testigo integral, sí sabe, el discurso responde al mismo estatuto de duplicidad que otros discursos anteriores, y, como tal, lo percibe como forzosamente ambiguo. La voz dice *realmente* el dolor del personaje, pero el personaje está, a la vez, representando, actor de su propio dolor. Su lenguaje, al tiempo que inventa y produce la fábula de la muerte de la mujer y del propio dolor para los otros personajes, la destruye para el espectador, y en su mismo acto de dar sentido a lo contado, se lo niega, pues cada una de sus palabras significan a la vez lo significado y lo no significado. Lo sucedido realmente en la acción y lo sucedido idealmente en el relato chocan violentamente en el discurso de Don Lope de Ataide. Cuando el Rey pronuncia su frase —«¡Notable desdicha ha sido!»—, no ha entendido, aunque ha oído, la alusión paranoica (¿qué otro adjetivo usar?) a una antigua frase suya (III, 97)[40], y no ha oído el aparte de Don Lope a Don Juan, en que le hace saber que la muerte de Leonor es un acto de venganza; pero el espectador, que sabe lo que el Rey no sabe, y más de lo que saben Don Juan y el propio Don Lope, al oír uno a continuación del otro el discurso, el aparte y la frase, entiende en su plenitud de sentido trágico la verdad de las palabras del Rey: «Notable desdicha ha sido.» Desde ese entendimiento, que sólo él posee, como testigo de excepción de la historia entera, las palabras últimas de Don Juan y del Rey, debían de sonarle extrañamente al espectador.

[40] La frase del Rey —«que en vuestra casa, aunque la empresa es alta//podréis hacer, Don Lope, mayor falta»— produce una desorbitada reacción de Don Lope, reveladora de lo que hoy diagnosticaríamos como paranoia.

El médico de su honra

¿Dónde ocurre la escena final? Significativamente, fuera y dentro *a la vez* de la casa de Gutierre: en la calle, delante de la puerta con mano sangrienta impresa en ella, y en el interior, desde donde pueda verse a Mencía desangrada en la cama. Si la poética escénica del Siglo de Oro, anterior a las dramaturgias neoclásica o realista, permitía la representación simultánea de los dos espacios, también la nuestra, heredera de las grandes revoluciones escénicas del siglo XX, lo permite, aunque de distinto modo. Es más, dado el desarrollo en estos últimos años de los estudios de semiología del teatro, y, muy especialmente, de la representación escénica, ningún montaje actual, atento a la extraordinaria riqueza sígnica de *El médico de su honra,* dejaría de destacar los dos grandes signos que presiden la acción final en los dos espacios: la puerta con la mano ensangrentada y el cuerpo desangrado de Mencía.

Ambos objetos dominan la escena entera y el ojo del espectador no puede dejar de verlos, especialmente sometido a la fascinación creada por los medios técnicos de la iluminación teatral en nuestros días. En los días de Calderón no existían esos medios técnicos, pero sí existían los signos puestos por el dramaturgo y la activa imaginación del espectador que los asociaba.

Los dos signos cruentos de la violencia del honor, visibles uno fuera, en la calle, lugar *público,* y el otro, dentro, en la casa, lugar *secreto,* no son ni un hecho aislado ni una ocurrencia casual, y no significativos. Por el contrario, forman parte del sistema de dualidades antagónicas, ya señaladas varias veces en las páginas anteriores, que define la estructura profunda y básica de la tragedia de honor como una de las formas del teatro barroco de la ruptura y la división.

Como el discurso de Don Lope de Ataide, el de Don Gutierre ofrece la misma ambigua dualidad entre la realidad de la acción y la ficcionalidad del relato, cuyas concordancias y discordancias significan opuestamente desde el punto de vista de quien habla en escena y de quien escucha fuera de ella, lo cual produce el contrapunto de un subtexto dominado por la ironía trágica, pues cuando Gutierre actúa y finge es cuando está diciendo la verdad.

Junto a Gutierre, habitante del mismo espacio trágico de la división, el Rey Don Pedro, representante máximo del poder y de la autoridad, juez supremo y fuente de todo honor, es, como personaje dramático, otro ejemplo de ruptura y división, consustancial en su caso concreto con la dualidad de su imagen histórica, reflejada en la dualidad de su imagen escénica desde Lope a Calderón [41]. Es, precisamente, esa radical ambigüedad de su imagen histórica/escénica la que le confiere su enorme teatralidad como personaje, la cual es aprovechada al máximo por el gran *dramaturgo* que es Calderón. Querer ver en el Rey Don Pedro de *El médico de su honra* o sólo a Pedro el Justo o sólo a Pedro el Cruel, no sólo es quedarse con una imagen incompleta, con una sola de sus caras, empobreciendo su condición centáurica, contradictoria y extraordinariamente rica de personaje teatral, sino también romper la unidad dramática y trágica del universo coherentemente trabado por Calderón, donde no existen ni personajes ni situaciones planas. ¿Por qué imponer la monosemia allí donde reina la polisemia? El Rey Don Pedro de *El médico* es, a la vez, el justo y el cruel, el que abandona a su hermano herido en el camino a Sevilla, produce turbación en el soldado y gasta pocas palabras con los pretendientes y el que regala un diamante al Viejo o a Ludovico, el que ama la justicia y termina obrando la injusticia, el que se ofrece como mediador en los casos de honor y media en el deshonor, el que, como Mencía, asocia la daga del Infante con su propia muerte, y, presa del mismo terror y la misma turbación, padece la alucinación de su sangriento fin, y el que, como Gutierre, obra bajo el impulso del recelo y del malentendido, y, finalmente, teniendo conciencia de la crueldad de Gutierre y de la inclemencia de su acción piensa que ha actuado cuerdamente, y expresa su incertidumbre y sus dudas en ese «no sé qué hacer», ya citado. «No sé qué hacer» que el azar le ayudará a resolver, al encontrar, justo después de esa frase, a Leonor delante de la puerta de la casa de Gutierre.

---

[41] Sobre el Rey Don Pedro en el teatro del Siglo de Oro vid. José Lomba y Pedraja, «El Rey Don Pedro en el Teatro», *Homenaje a Menéndez Pelayo,* Madrid, 1899, II, pp. 257-339; Francis Exum, *The Metamorphosis of Lope de Vega's King Pedro,* Madrid, 1974. Para Calderón, A. Irvine Watson, «Peter the Cruel or Peter the Just? A Reappraisal of the Role Played by King Peter in Calderón's *El médico de su honra*», *Romanistisches Jahrbuch,* 14, 1963, pp. 17-34; D. W. Cruickshank, «Calderón's King Pedro; Just or Unjust?», *Spaniche Forschungen dder Görresgesellschaft,* 25, 1970, pp. 113-132; Frank P. Casa, «Crime and Responsibility in *El médico de su honra*», *Homenaje a William L. Fichter,* Madrdi, 1971, pp. 127-137. Vid. también el reciente trabajo de Carol Bingham Kirby, art. cit., pp. 123-135.

Azar que no es tampoco aquí un *deus ex machina,* sino el último de los eslabones de la cadena señalada en páginas anteriores: el mismo azar que intervenía en la escena fundacional del deshonor de Leonor vuelve a intervenir en la «restauración» de su honor. El ciclo recorrido de un golpe de azar al otro se cierra en esta escena final que ocurre fuera y dentro, ante la mano sangrienta impresa en la puerta de la casa de Gutierre y ante el cuerpo sangriento de Mencía, signos del honor, cuyo rito sangriento vuelve a celebrarse a la vista del espectador, oficiado por el Rey.

El pintor de su deshonra

Como en *A secreto agravio,* el espacio escénico, después del asesinato, se llena de personajes. Presentes están Don Pedro, padre de Serafina; Don Luis, padre de Álvaro, y Porcia, su hermana, que entran justo para oír las últimas palabras y recibir los cuerpos de sus respectivos hijos; presentes, Belardo y, finalmente, el Príncipe y Juanete. A diferencia de las otras dos tragedias, nadie sabe nada, sino lo que ven, y todos juzgan sólo por lo que ven. El espectador, que ha visto todo, y conoce la inocencia absoluta de Serafina, y también su larga agonía, no puede concordar con la conclusión de los personajes, que aprueban el crimen porque juzgan culpable a Serafina. Sólo el espectador recibe con toda su fuerza trágica el impacto de las palabras de Don Juan, que pide a gritos la muerte:

Don Juan Roca soy. Matadme
todos, pues todos tenéis
vuestras injurias delante;
tú, don Pedro, pues te vuelvo
triste y sangriento cadáver
una beldad que me diste;
tú, don Luis, pues muerto yace
tu hijo a mis manos; y tú,
Príncipe, pues me mandaste
hacer un retrato que
pinté con su rojo esmalte.
¿Qué esperáis? ¡Matadme todos!

* * *

Comparando el final de *Otelo* con el de *El médico de su honra,* encontraba el profesor Neuschäfer, en la tragedia de Shakespeare, «una cierta solución (Yago es castigado, la inocencia de Desdémona es proclamada, Otelo confiesa su error y se mata a sí mismo), una especie de compensación e indemnización, no en sentido jurídico, desde luego, pero sí en el sentido de una justicia poética» [42]. En cambio, «nada semejante se encuentra en *El médico de su honra,* cuya conclusión es precisamente lo más inquietante [...], no sólo no queda un caso concluido —que es justamente lo que tranquiliza en *Otelo*—, sino que, por el contrario, se instituye la imposibilidad de su conclusión [...]. Se trata de un final que se nos presenta tanto más desconsolador justamente porque tiene la apariencia de un *happy end*[*ing*]: es la máscara de un final feliz bajo la cual se esconde una terrible mueca, es una salida que resulta más horrible que una catástrofe...» [43].

En efecto, en las tres tragedias calderonianas, Yago no tiene papel propio ni es proclamada, al final, la inocencia de Desdémona ni Otelo se mata: el héroe piensa haber obrado según las reglas al matar; quien encarna la autoridad y el poder supremo en la comunidad no acusa ni castiga, mas aprueba y condona; nadie, ante el cadáver ensangrentado de la heroína, proclama su inocencia. La escena final termina con una sombría apoteosis del crimen por los personajes, precisamente porque están todos atrapados en el sistema que lo produce.

La lógica inexorable e inescapable de la acción, desarrollada según unas leyes que le son propias, pues se encuentran alojadas en la estructura profunda inventada por el dramaturgo, impone esa escena final, idéntica en las tres tragedias, donde no puede darse, por parte de ninguno de los personajes, ni *anagnórisis* ni *catharsis.*

Éstas, en cambio, son de la competencia única del espectador, único testigo integral y conciencia absoluta de las contradicciones entre discurso y acción, realidad y ficción, necesidad y azar, conciencia y código, individuo y sistema, contradicciones que, a su

[42] Hans-Jörg Neuschäfer, «El triste drama de honor. Formas de crítica ideológica en el teatro de honor de Calderón», *Hacia Calderón. Segundo Coloquio angloamericano. Hamburgo, 1970,* ed. Hans Flasche, Berlín, 1973.

[43] *Ibid.,* p. 99.

vez, le remiten, como siempre sucede en el teatro, a las contradicciones de su propio espacio histórico [44].

Sólo el espectador puede buscar y encontrar la salida de este espacio herméticamente cerrado de la alucinación y la alienación colectiva, de ese espacio que es, por excelencia, el espacio trágico de la división.

[44] Vid. mi libro (ob. cit.), pp. 68-70.

III. SUMARIO. HACIA UNA POÉTICA DE LA TRAGEDIA CALDERONIANA

1. Libertad//Destino

1. Dialéctica de la circularidad

Las tragedias representativas del modelo dramático configurado por el conflicto libertad//destino tienen como elemento estructural común el Hado, cuyas formas de explicitación o manifestación escénica son el horóscopo, la profecía o el sueño. Mediante éstos, queda establecido, desde el principio, tanto formal como semánticamente, el orden de la acción, la cual consistirá en el desarrollo, por medio de peripecias, del Hado anunciado. Desde el punto de vista de construcción del drama, lo importante es el sistema de relaciones dialécticas que el dramaturgo establece entre la predicación inicial y su cumplimiento final, y, naturalmente, como en toda estructura literaria, saltando del plano formal al plano semántico, las significaciones últimas que de esas relaciones dimanan. El primer efecto dramático importante es el que, con toda propiedad, podemos llamar efecto de circularidad de la acción, puesto que partiendo ésta del punto A (anunciado) llegará al punto A' (cumplido). A la vez que el Hado, como elemento estructurante, produce este efecto de circularidad, produce también el efecto dramático de proyectar la acción hacia un espacio-tiempo futuro, en el que se concentra la espectación del espectador, con el consiguiente incremento del «suspense» y la tensión dramática. La consecuencia final de esta estructura o modo de configuración del drama es que el significado o significados de la conexión entre lo anunciado al comienzo y lo cumplido al final pasa, como la corriente por el hilo conductor, a través de la dialéctica de la circularidad, cuyos polos semánticos son la libertad y el destino.

Inscritas sus acciones en un orden temporal que no controla, el héroe trágico calderoniano, aunque responsable siempre de sus actos, incluido el importantísimo de interpretar los contenidos del Hado, terminará siendo la víctima de su propia acción. En el momento mismo en que elige hacer lo que hace, empieza a obrar lo contrario de lo que pretendía obrar. A la ambigüedad radical de la acción humana se une la ambigüedad del agente trágico, el cual, dividido en dos direcciones es, simultáneamente, responsable de sus actos (polo de la libertad), en tanto que expresión de un carácter de hombre, y víctima de una fatalidad (polo del destino), que, interiorizada, parece estar inscrita en la raíz misma o núcleo de su carácter de hombre. El conocimiento trágico al que se accede al final del drama consiste en descubrir en sí mismo la identidad trágica de *ethos* y *daimon,* es decir, los dos órdenes de realidad en los que se enraizaban en el héroe trágico griego la decisión trágica.

2. El vaticinio y su interpretación: personaje y espectador

La interpretación por parte del héroe o de la pareja trágica del vaticinio alojado en el horóscopo, la profecía o el sueño, compromete tanto la parte racional como la irracional del ser humano, y está enraizada en la dimensión temporal del sujeto que interpreta, en un aquí y un ahora, y no cabe interpretarlo intemporalmente. Toda interpretación supone una situación concreta desde la que se interpreta y un carácter —un *ethos*— que define al sujeto que, al interpretar, descodifica el mensaje. En *El mayor monstruo,* por ejemplo, Herodes y Mariene van, en efecto, a interpretar el vaticinio desde una situación precisa y desde un carácter peculiar, dados ya el uno como la otra. El problema está en que *el presente* —situación y carácter— desde el que interpretan el vaticinio no es, en absoluto, *el futuro* al que el vaticinio se refiere. Interpretar el futuro en los términos del presente, únicos que tienen a su disposición, entraña necesariamente la posibilidad del error, dada la no identidad de ambos términos. Si el vaticinio se cumple es, precisamente, porque en el futuro se da algo no dado todavía en el presente, algo, por lo tanto, que el intérprete no puede conocer y, por ende, no puede tener en cuenta en el acto, necesariamente temporal, de interpretar. Por eso, afirmé antes que el héroe trágico calderoniano, aunque responsable de sus actos, no puede controlar, sin embargo, el orden temporal en que éstos se inscriben. La ambigua dualidad del vaticinio refleja, en buena medida, esa trágica dicotomía de la condición temporal del ser humano.

Cuando Mariene expresa su invencible temor del fin trágico que a ambos les espera («Pues, trágicos los dos con fin violento,/ por ley de nuestros hados/vivimos a desdichas destinados»..., etc., I, 453), Herodes, frente al miedo visceral e irreprimible que atenaza, obnubilándola, la potencia racional de la mujer, opone un discurso racional, lógicamente construido, que rechaza tanto la fatalidad como la irracionalidad que impregnan la actitud de Mariene. Esta estructura silogística, signo de la racionalidad, es típica de los héroes calderonianos, poseídos por la pasión del orden, caracterizados por su lucidez y rigor mentales, única defensa contra el caos y la confusión que el mal introduce en el mundo y al que, sin embargo, sucumbirá. Es esa racionalidad, expresada en la conciencia, repetida, una y otra vez, en el teatro calderoniano, de que el hombre domina las estrellas, y sustentada a lo largo de las tragedias, la que da al héroe trágico su trascendencia y su hondura, pues que, fundado en su razón y en su libertad, afirma, desafiando el futuro, ciego para descubrir su oculto sentido y sus propios límites humanos, la seguridad en sí mismo y en su capacidad para vencer o desviar el Hado.

Si tenemos en cuenta esa específica relación dialéctica entre el punto de vista del personaje y el punto de vista del espectador, la escena, común a todas las tragedias, de interpretación del vaticinio cobra todo su sentido y su valor dramáticos. El lenguaje global del texto calderoniano tiene muy distinto nivel de transparencia para el personaje y para el espectador. El primero (Herodes, Volseo, Enrique VIII, David y sus hijos...), ciego para la ambigua polivalencia de los signos que el dramaturgo espacializa en el curso de la acción, adhiere exclusivamente a sólo uno de sus sentidos, a partir del cual actúa en una sola dirección que le conducirá precisamente a donde no quiere llegar. El segundo, en cambio, desde su conciencia distanciada que percibe la ambigüedad de los signos y su polivalencia de sentidos, asiste al desarrollo de las acciones del héroe, dividido su ánimo entre el temor del fin que presiente —atenido a los signos de indicio que el dramaturgo siembra en el texto— y la piedad activa por el error en que aquél incurre en ese instante decisivo en el que, eligiendo un solo sentido, desatiende los otros. Uno de los efectos de la ambigüedad del lenguaje trágico en Calderón es producir ese desnivel entre opacidad —para el personaje— y transparencia —para el espectador. Pero, a la vez, ese desnivel transforma en conciencia trágica la conciencia moral del espectador, sustituyendo así el juicio ético por el saber trágico, el cual consiste, a través del espectáculo, es decir, por mediación de él, en tomar conciencia de la polisemia de las palabras, las acciones y los valores del hombre y su mundo, reconociendo la naturaleza conflictiva, fuente de problematicidad, del universo configurado por el dramaturgo en su drama, drama que remite al espectador, mediante el procedimiento de la *mimesis,* a la índole conflictual de la realidad.

Las sucesivas contradicciones entre el contenido del Hado y su interpretación por los personajes va tejiendo la cadena trágica que vertebra la acción. Según ésta avanza, la distancia entre la distinta percepción del sentido de estas contradicciones por parte del espectador y por parte de los personajes se va haciendo más profunda, intensificando así la emoción estética —el famoso placer trágico— que el espectáculo de la falibilidad de la condición humana produce en quienes la contemplan *in feri,* sucediendo en escena, sin poder desviarla o interrumpirla, conscientes del proceso fatal, en curso de cumplimiento, generado en el centro mismo operativo de la libertad individual del héroe que desde su situación interpreta y elige el curso de su acción.

3. La pasión trágica: posesión y alienación

Decisivo para la configuración dramática de esa situación desde la que el héroe interpreta y elige es el doble proceso de posesión y alienación de su conciencia por la pasión: amor y celos en *El mayor monstruo,* soberbia y concupiscencia en *La cisma;* ambición, lujuria y piedad paterna en *Los cabellos de Absalón.* Cualquiera que sea el contenido de la pasión, lo que la define es su condición de absoluto, el ser pasión absoluta, que no deja sitio a nada que no sea ella misma, y que, conculcando todo el sistema de normas o deberes públicos o privados, va más allá de todo límite, portadora en su mismo exceso de la semilla de la destrucción y el desorden. Es ese efecto destructivo de la pasión, efecto a la vez centrípeto y centrífugo —es decir, dirigido hacia uno mismo y hacia los otros— lo que la acción de las tragedias calderonianas nos muestran mediante la cuidadísima estructuración de la cadena de mecanismos de causa y efecto.

Si la pasión trágica hace retroceder a segundo plano todo lo que no es ella, es porque es convertida en medida única de interpretación de la realidad, la cual sólo parece existir en relación con la pasión y exclusivamente referida a ella, incluida la realidad del objeto deseado, cuya existencia pierde, paradójicamente, su valor y su autonomía, desplazada e incluso negada por la misma pasión. Cuando ésta alcanza tal grado de intensidad, posesionándose del individuo, nada ni nadie puede desviar su curso, pues actúa como una fuerza ciega cuyos mecanismos internos no pueden controlar ni la razón ni los sentimientos y cuyos efectos, imprevisibles, obran inexorablemente la destrucción. Es esa lógica interna de los mecanismos de la pasión, a la cual se entrega totalmente el héroe, la que produce en el espectador una intensa emoción de terror y de impotencia, al descubrir la ceguera del héroe para todo lo que no es su propia pasión. Las peripecias que hacen avanzar la acción hacia su desenlace son la manifestación exterior de un proceso interior, generalmente subconsciente o preconsciente, de instalación del deseo y de su progresiva posesión de la voluntad y de la razón, proceso que el dramaturgo va desvelando escénicamente paso a paso con perfecto sentido de la gradación dramática, que permite al espectador captar *in fieri* la lenta y devastadora operación oculta de la pasión en la transformación de la psique individual, motivando así, dramática a la vez que psicológicamente, la crisis, a nivel ya de la conciencia, en la que el proceso termina y de la que arranca la última espiral de la cadena trágica que abocará en la escena final.

Como ejemplos de este doble carácter posesivo y alienante de la pasión y de su expresión dramática en el límite entre el nivel consciente y el subconsciente, creo que son clarísimos estos dos de Enrique VIII en *La cisma* y de Amón en *Los cabellos:*

ENRIQUE VIII

Todo el infierno junto
no padece en su llanto
pena y tormento tanto
como yo en este punto,
porque, en muerte deshecho,
si es etna el corazón, volcán el
[pecho.
¡Ay de mí que me abraso!
¡Ay, cielos, que me quemo!
No es de amor este extremo;
mover no puedo el paso.
Algún demonio ha sido,
espíritu que en mí se ha reves-
[tido.

AMÓN

Mas, ay, que en vano me
[opongo
de mi estrella a los influjos,
pues cuando digo animoso
que no he de salir a verla
es cuando a verla me pongo.
¿Qué es esto, cielos? ¿Yo
[mismo
el daño no reconozco?
Pues ¿cómo al daño me
[entrego?
¿Vive en mí más que yo pro-
[pio?
No. Pues ¿cómo manda en mí
con tan grande imperio otro
que me lleva donde yo
ir no quiero?

El proceso destructivo que la pasión genera está estructurado dramáticamente en momentos fatalmente encadenados que actúan, a la vez, como causa y efecto uno del otro, mostrando su inextricable relación de interdependencia. Sin embargo, el eje o pivote que engarza las dos partes o caras —interna, externa— del proceso único, subterráneo y preconsciente, primero, explícito y consciente después, es siempre en Calderón, necesariamente, la libertad humana, núcleo existencial del acontecer trágico.

4. TRANSFERENCIA LIBERTAD/DESTINO

Posesión y alienación son los efectos de dos causas de ilustre abolengo en la historia de la fenomenología de lo trágico, a las que Aristóteles otorga un puesto central en su *Poética* de la tragedia: *hybris* y *hamartia.* En la tragedia calderoniana de la libertad y del destino, ambos elementos están en la base que funda la pasión trágica de sus héroes, y constituyen la fuente o el núcleo de todas sus acciones y de sus consecuencias, que abocan al final trágico.

El final trágico había sido previsto desde el principio, como cumplido ya en el escenario que el Hado anuncia o prevé, pero no en el espacio del drama, en el que va a desplegarse inexorablemente el terrible mecanismo de la necesidad, que sólo puede funcionar mediante el libre juego de las conductas de los actores de la fábula dramática, cuyos errores, consecuencia de la pasión posesiva y alienadora, ponen en marcha y hacen avanzar la acción como una gran máquina que los va conduciendo justo a donde no piensan ni quieren ser conducidos. Es ese espectáculo de la libertad transformándose a sí misma en necesidad lo que Calderón invita a ver a sus espectadores, los de su tiempo y el nuestro, expresando en él su visión trágica de la condición humana, libre y, porque libre, creadora de su destino.

Esta transformación de la libertad en destino constituye, a mi juicio, la clave, así como el momento de máxima originalidad y profundidad, de la tragedia calderoniana. El mejor ejemplo se encuentra en una escena crucial del Acto II de *La cisma de Inglaterra,* en la que el Rey Enrique VIII, solo en escena, confiesa su locura y su ceguera, que le han llevado a negar la verdad. El extraordinario monólogo de Enrique expresa, como otros monólogos de las otras tragedias, la división de la conciencia, vivida aquí como situación límite dentro de la cual se debate el personaje, sin poder salir de ella, no porque falle la razón, como no fallaba en Herodes, pues ésta analiza correctamente la realidad sin enmascararla o negarla, ni tampoco porque la pasión la debilite, imposibilitándole ver la verdad. No; Calderón, descendiendo profundamente en la investigación de la esencia misma de lo trágico, va más allá de la polaridad dialéctica razón//pasión como fuente única y suficiente del error trágico. El problema del héroe no está en negar la verdad o la realidad por no verla, cegado por la pasión, pero tampoco está en ver y negar, poseída y alienada la voluntad, sino en ver negando y en negar viendo, es decir, en la incapacidad de separar visión y negación, y ello no en el nivel racional o en el nivel emocional, sino en el nivel existencial, en el cual razón y voluntad se funden dialécticamente por contradicción. Es esa contradicción dialéctica captada como *unidad dividida,* la que constituye la esencia paradójica, forzosamente escandalosa para la razón, del núcleo trágico de la libertad.

La representación escénica de ese instante trágico en que la Libertad adopta la faz del Destino se encuentra en los últimos versos del citado monólogo de Enrique. Justo, cuando se produce la transferencia Libertad/Destino, aparecen en el héroe trágico la conciencia de culpa, aunque culpa de una conciencia dividida que se siente a sí misma, a la vez, como sujeto y objeto de su hacer, como culpable y víctima a la vez, pues que *hace* y *es forzado* a hacer. El monólogo termina con este verso:

Esta fue *mi desdicha, esta mi estrella.*

La secuencia sintáctica de verbos en presente y futuro del monólogo es súbitamente rota de manera fulminante e inesperada, por este único y postrero tiempo pasado. Ese abrupto cambio o salto del *es* y el *será* al *fue,* además de expresar, en la conciencia profunda del personaje, la fuerza compulsiva y alienante del deseo, descubre uno de los engranajes del mecanismo de transformación de la Libertad en Destino, engranaje que consiste, básicamente, en negar el principio de causalidad, y su manifestación en el orden de la temporalidad, subvirtiéndolo mediante la inversión de la relación lineal causa/efecto: el efecto es convertido en causa, el después en antes, la consecuencia del acto libre en causa fatal —«estrella»— del acto.

El hombre, en efecto, según ya indiqué, no puede controlar los acontecimientos porque no controla el orden temporal en que éstos se insertan. Ese orden temporal del acontecer de la vida humana es, precisamente, lo que Calderón dramaturgo expresa mediante el orden dramático de la acción, el cual es su reflejo mimético. Toda esa larga cadena de actos cuidadosamente estructurados en las tragedias calderonianas, ninguno de ellos mecánico, ninguno arbitrario, conducen, férreamente trabados en la acción, al cumplimiento del Hado. Cada uno de esos actos tiene una finalidad inmediata y un sentido muy concreto. Pero unidos todos en el sistema en que funcionan, adquieren otro sentido que trasciende sus particulares sentidos concretos. Ningún personaje padece fuerza en el momento de actuar, todo ellos eligen libremente y realizan actos libres cuyos efectos no pueden prever. Pero todos ellos labran su propio destino.

Especialmente iluminadora del sentido transcendente del núcleo trágico del conflicto libertad//destino es la tragedia del Rey David, el cual define su condición de héroe trágico al definirse a sí mismo como «persona que hace y que padece», culpable y víctima a la vez. En cada uno de los actos que se van cumpliendo contra su voluntad, y a pesar del amor y el perdón con que responde a las ofensas de los demás, ve David el castigo de Dios y sus justicias. Mediante el reconocimiento de su condición de culpable y de víctima, fundamento de la paradoja trágica, David enlaza cada una de las acciones libres de quienes le ofenden, así como la catástrofe final a que esas acciones inexorablemente conducen, con la Divinidad, con su propia conciencia de culpa y con la libertad humana. Esta última, fuente de la responsabilidad de cada personaje y de su culpa, aparece en *Los cabellos de Absalón* dialécticamente trabada —con esa dialéctica consustancial a la tragedia como visión del mundo, desde los griegos hasta el Barroco— a la maldición divina, anterior a la acción, pero inserta en ella por los vaticinios de la pitonisa Teuca. En el espacio sagrado de la tragedia del Rey David, Calderón muestra, una vez más, que, en el conflicto entre el poder divino y el poder humano, la voluntad divina se cumple, no contra la libertad humana, sino a través de ella, único núcleo trágico de la tragedia cristiana de la libertad y el destino.

Para terminar, me interesa recalcar, una vez más, que Calderón no está interesado en definir como moralista, como teólogo o como metafísico, el concepto de libertad, sino en plasmar, *como dramaturgo,* la libertad en tanto que conflicto existencialmente asumido por unos personajes situados en una encrucijada vital en la que concurren conflictivamente tanto fuerzas interiores como exteriores, individuales como colectivas, de tal modo entreveradas a manera de una red, que resulte imposible trazar una nítida línea divisoria entre lo que hay de libertad y lo que hay de destino en la raíz misma de la libertad humana, la cual no es uno de los cabos de la condición humana, de la cual sería el otro cabo el destino, o lo que llamamos tal, sino, en verdad, el nudo trágico por excelencia donde los dos cabos del existir humano están indisolublemente unidos no en acto, sino en potencia, es decir, virtualmente.

2. Tragedia de honor

1. La vuelta del pasado

En contraste con el marido, la primera imagen que de sí misma proyecta la mujer es la del dolor. Para Leonor, Serafina o

Mencía, las bodas no son el término feliz de una historia de amor, sino su final desgraciado. Las bodas se han producido como resultado de un amor súbitamente truncado por la ausencia (Mencía) o por la supuesta muerte —aunque real para Leonor y Serafina y para los demás, incluido el espectador— del verdadero amante, y, en buena medida, son consecuencia del fracaso de un proyecto vital imposibilitado por la fulminante intervención de una fuerza exterior y aparentemente ciega. Esa fuerza altera irrevocablemente el destino, no sólo de las mujeres, sino de todos los personajes.

En sus soliloquios y/o en sus discursos, vertidos en la intimidad, a solas con sus confidentes, la esposa no sólo expresa, vuelta hacia su pasado, el dolor y la pena profunda, sino también su fidelidad interior al amor verdadero. Dolor por el amor perdido y fidelidad al amor único definen la calidad del alma y la calidad del amor de la mujer noble, a la que caracterizan la firmeza y no la mudanza ni la superficial inconstancia que fácilmente se consuela. Pero esas mismas fineza y nobleza de alma, asociadas a la evocación del amor y del pasado, preparan la admiración del espectador por el sacrificio al que está dispuesta: el del amor en aras del honor. El valor del sacrificio, y la dificultad de éste, depende obviamente del valor del amor. A mejor amor, mayor dolor; y a mayor dolor, mejor mérito en la renuncia y en el vencimiento de sí mismas.

Con la vuelta súbita e inesperada del amante, el dolor por el pasado abolido se transformará en dolor por el presente imposible. Es en el espacio real del presente donde la verdadera agonía de la mujer comienza, asediada a la vez por el pasado y por el presente, por el amante y por el marido, víctima de esa imposible conciliación de los dos mundos. El fundamento de la profundidad como personaje de la esposa, así como la complejidad que le da espesor psicológico y consistencia dramática, está, precisamente, en esa constante presencia implícita del pasado (=amor) en el presente (=honor). Es la autenticidad de esa presencia la que funda la calidad y la verdad trágicas de la esposa y la que dibuja, bien marcada en la acción, su permanente agonía, es decir, el combate que, como personaje dramático, la define. No se trata, por lo tanto, de que amara y haya dejado de amar, sino de que sigue amando. Por eso, el amante es, en este primerísimo instante de su aparición súbita, presencia real y objetivación del Eros interior: cuerpo de la fantasía de la mujer, voz de su imaginación y su memoria, alma de su pensamiento y de su dolor. Pero, pasado ese primer instante de ambigua identidad, a la vez poética y dramática, entre la realidad y el deseo, estos dos se enfrentan sin posible conciliación.

El amante, imagen del amor, objetivación del deseo, se transforma en imagen de la tentación, contra la que debe luchar y luchará la mujer en el curso entero de la acción. Ese combate exterior, en que empeña literalmente su existencia, pautado dramáticamente por sus distintos enfrentamientos con el amante, materializa, a su vez, la agonía interior que le da como personaje toda su hondura y su intensidad. Sin la dialéctica interior entre realidad y deseo, Leonor y Serafina y Mencía serían, como entes escénicos, simples personajes planos, sin capacidad para provocar en el espectador esa mezcla de piedad y temor que las tres concitan. Es esa lucha en que están empeñadas la que las define, pero también la que se constituye en fuente de su ambigüedad como personajes dramáticos. La posibilidad de la acción trágica, situada la mujer en la encrucijada entre pasado y presente, entre amor y honor, entre amante y marido, entre el deseo individual y el deber social, entre instinto y razón, depende enteramente de esa ambigüedad de la heroína y su agonía.

La vuelta del amante crea también una especie de paradoja trágica reflejada, a la vez, en la mujer y en la acción. Al ver vivo a quien lloraba muerto, Serafina dirá:

ahora conozco, ahora veo
que debe ser verdad
que vives, Álvaro, puesto
que soy tan desdichada,
que aun una dicha que tengo,
no lo es ya, pues, muerto o vivo,
de cualquier suerte te pierdo (I, 273).

Y Mencía, en lapidario verso: «Viva callando, pues callando muero.» Por su parte, Leonor hace notar otro importante aspecto de la trágica paradoja de la tragedia de honor, a saber, el «a destiempo» de la llegada del amante: «habéis venido tarde» (I, 50), dice a Don Luis. Es este llegar «sin tiempo y sin ocasión» (I, 51) quien hace imposible para siempre la felicidad, tan al alcance de la mano «si antes hubiérais venido» (I, 50). La irrecuperable distancia entre ese «antes» y el «tarde» es una primera invitación para una toma de conciencia de la dimensión trágica del tiempo, así como de la instauración en la acción del tiempo trágico, hecho de sucesiones de instantes absolutos e irremediables, imposibles de ser rescatados. En la dialéctica tiempo//destiempo estriba la verdadera paradoja de la estructura del tiempo trágico en la tragedia de honor calderoniana, en donde el *destiempo,* polo negativo del *tiempo,* es el gozne o resorte que abre la puerta a esa fuerza ciega, a que antes aludí, cuyo nombre es Azar.

La vuelta del amante constituye una terrible prueba para Leonor, Mencía y Serafina, precisamente por lo que tiene de auténtico su amor. Si no tomamos en serio esa autenticidad, no creo que podamos entender la fuerza dramática del suceso, el heroísmo de la mujer ni el sentido trágico del combate comenzado. Pero como Calderón no está escribiendo un drama heroico, sino una tragedia, y no enfoca, consecuentemente, la realidad desde un punto de vista heroico, sino trágico, el resultado de esa primera elección de la mujer —el deber y el honor— no será la alabanza y la gloria, sino la sospecha, el malentendido, el sufrimiento y la muerte. Las tres esposas, apenas triunfantes de la primera prueba de confrontación con el amante, serán sometidas a la tortura de un doble cerco: la del amante y la del marido. En las tres, así como en sus trayectorias vitales, se produce el mismo contraste dramático entre decisión o elección heroica y resultado trágico de su acción.

Frente a un amante empecinado en negar el presente, anclado en un pasado que se niega a ver como pasado, pues no reconoce ni admite el cambio, la mujer muestra su trágica conciencia del cambio, desgarrada interiormente por el doble tirón del pasado —espacio del amor y de la felicidad— y del presente —espacio del honor y del deber. Siendo ambos inconciliables, Calderón espacializa su choque en la actuación del personaje femenino, el cual está configurado por la riquísima cadena de contradicciones entre palabra y acción, entre sistema verbal y corporalidad. Para encarnar escénicamente el complejo carácter dramático creado por Calderón, hace falta una gran actriz trágica que afirme y niegue, a la vez, el principio de contradicción entre pasado y presente, amor y honor, gozo y dolor, vida y muerte, una actiz capaz de *actuar,* y no tan sólo decir, ese nudo de contrarios que *es* la heroína.

En conclusión, en su primera confrontación con el amante, fantasma resucitado del pasado, pasado que vuelve como negación del presente, las tres mujeres, fundadas igualmente en la división interior, en el sufrimiento y en la conciencia de la imposible conciliación del pasado (amor, felicidad) y el presente (honor, dolor), rechazan al amante, afirmando su deber moral y social, aunque sin poder eliminar su antiguo amor, ni ocultar su presente dolor.

La paradoja trágica, como ya indiqué, comienza cuando el heroísmo de la mujer, en donde el deber triunfa de la inclinación, da como frutos el malentendido, la sospecha, el miedo, el silencio y la ocultación, y, finalmente, su asesinato a manos del esposo.

2. El espacio del miedo

Si el azar constituye, en cierto modo, la invisible espina dorsal de la acción y vertebra la cadena de situaciones que desembocan, como eslabón último, en la catástrofe, la ocultación es la respuesta inmediata e incontrolada de los personajes mayores —la pareja trágica de marido y mujer, especialmente— a la situación provocada por el azar. Respuesta que, a su vez, provocará precisamente la cadena de situaciones que desembocará en la catástrofe. Azar y ocultación son como la sístole y la diástole de la acción de la tragedia de honor.

Uno de los papeles que el azar parece cumplir en este tipo de tragedia es, en efecto, el de una fuerza ciega que activa los mecanismos de la máquina trágica, con función semejante a la de la *Tyche* en la tragedia griega.

En *A secreto agravio* y *El pintor,* la noticia de la muerte del amante determina la boda de la mujer. La vuelta del amante se produce justo el día en que los esposos se reúnen, cuando ya es demasiado tarde. La relación entre azar y tiempo es indudable. Sin la noticia de la muerte del amante no se hubiera producido el cambio de estado de la mujer; pero, sin la vuelta de los amantes, el cambio no constituiría semilla de tragedia. La conexión semántica entre el antes y el después del cambio tiene un fuerte acento de ironía trágica, en donde se revela la intervención de una fuerza exterior, desprovista de carácter moral, que el hombre no controla. Es en esa peculiar estructuración temporal de la acción —patente en ambos modelos de tragedia calderoniana—, que refleja el orden irreversible de los acontecimientos, donde se encuentra el primer foco trágico, al que, directa o indirectamente, remiten Leonor y Serafina en distintos momentos de sus trayectorias vitales.

Otra intervención fundamental del azar, en una de las encrucijadas mayores de la acción de las tres tragedias, se produce cuando el marido se presenta, súbita e inesperadamente, en la casa durante la primera visita del amante. La manera de reaccionar de las tres mujeres, aunque sean distintas las circunstancias personales de cada una, es idéntica —ocultar al amante— y produce los mismos resultados: despertar la sospecha del marido.

La relación azar/tiempo se dobla aquí de una significativa relación dramática entre azar y conducta de los personajes. El azar presenta así en la tragedia de honor calderoniana una doble faz dramática: una en relación con una fuerza cósmica, el Tiempo, trascendente a la criatura humana y no controlable, y otra, estrechamente relacionada con el carácter *(ethos)* y sus determinaciones psicosociológicas.

Si, por un lado, es cierto que el hombre no puede controlar el orden de los acontecimientos, y no es, por consiguiente, responsable de él, no es menos cierto, por el otro, que sí puede controlar su significación y sus consecuencias y, por lo tanto, es responsable de sus efectos.

A la intervención del azar reaccionan las tres mujeres del mismo modo: con el miedo. Miedo que les hace ocultar a los amantes. Si en el caso de Leonor pudiera pensarse en una posible conexión entre miedo y culpa, no así en los casos de Mencía y Serafina, según muestran de consuno palabra y acción. El hecho, pues, de que las tres obren del mismo modo, poseídas de idéntico miedo, parece invitar a descartar la culpa como origen único del miedo. Si alguna conexión existe entre miedo y culpa habría que buscarla a partir del proceso que empieza con la ocultación, no antes, en cuyo caso no es la culpa, sino el miedo el núcleo generador de las acciones que siguen a la ocultación.

La ocultación lleva aparejada, por razón misma de la acción, y no tanto de los caracteres, el disimulo, el cual, a su vez, combinado con el miedo (de la esposa) y la sospecha (del marido), produce el malentendido, que, alterando las bases de la relación entre ambos, va cortando todos los puentes de comunicación, acrecentando el miedo y la sospecha hasta un grado insostenible que se resuelve en catástrofe. Capital, por lo tanto, para la intelección de los mecanismos que ponen en marcha el proceso trágico que va de la intervención del azar a la catástrofe final, es la conexión, dentro del espacio del miedo que domina la relación entre los personajes, entre azar y ocultación.

Ahora bien, ese proceso estructurado por la acción como una férrea cadena, puede verse mejor en *El médico de su honra* que en *A secreto agravio,* donde no todos los eslabones están presentes en la acción, o que en *El pintor de su deshonra,* donde hay, además, eslabones que, por relación a la estructura trágica de base, pudiéramos tener por episódicos. En términos de dramaturgia, *El médico* es el más perfecto modelo de estructura trágica, no sólo dentro del universo teatral del honor en Calderón, sino en todo el teatro clásico español de honor. Acudamos, pues, a él para tratar de ver la mencionada conexión entre azar y ocultación.

La secuencia o segmento de acción en que se produce la conexión está enmarcada por dos enunciados dramáticos, ambos a cargo de la esposa: el primero es su decisión de resolver la situación en nombre del honor; el segundo, que cierra la escena, explica el porqué del medio elegido, es decir, de la ocultación. En respuesta a la pregunta de la criada («¿Por qué lo hiciste?»), dice Mencía:

Porque
si yo no se lo dijera
y Gutierre lo sintiera,
la presunción era clara,
pues no se desengañara
de que yo cómplice era;
y no fue dificultad
en ocasión tan cruel
haciendo del ladrón fiel,
engañar con la verdad (II, 182).

Los dos enunciados, en posición clave —al principio y al final de la secuencia del engaño—, apuntan a justificar la acción de Mencía (tomada aquí como modelo arquetípico del personaje de la esposa de la tragedia de honor), la cual se determina a llevar a cabo la ocultación del amante en atención, en primer lugar, a su propio honor, en el que radica el honor del marido, y, en segundo lugar, a la imagen que del marido tiene, imagen no sólo individual, sino fuertemente institucionalizada.

Si nos fijamos bien en el texto, atendiendo no sólo a lo dicho, sino a lo no-dicho, Mencía sólo considera dos opciones: 1) no decir nada a Gutierre; 2) «engañar con la verdad». La primera opción es rechazada en función de su convencimiento de lo que Gutierre haría si «sintiera» la presencia de otro hombre: sospechar de la complicidad de la esposa, sin que hubiera modo de desengañarlo. Es este convencimiento —fundado en su conocimiento de lo que sabe del marido y su comportamiento en un caso similar, conocimiento que comparte con ella el espectador— el que la lleva a no considerar la tercera alternativa, la no-dicha: decir la verdad a Gutierre. Decir la verdad es, precisamente, lo que no hace Mencía. Como tampoco Leonor ni Serafina. No decir la verdad lanza la acción en un curso del que la mujer perderá totalmente el control y que abocará a su propia muerte, que es lo que, en principio, temía y quería evitar. La decisión de no decir la verdad, sino de «engañar con la verdad», constituye, en el fondo, un error trágico, error en el que incurre no por maldad, malicia o culpa, sino «por ser quien es» ella y «por ser quien es» el marido, estando ese «ser» de ambos fundado en el honor.

3. La conciencia alucinada

Si el miedo de la mujer puede considerarse como uno de los motores de la acción, pues determina el curso que ésta va a tomar, el recelo y la sospecha en el hombre pueden también considerarse como otro de los motores internos de la acción, pues que igualmente determina su curso. Miedo y recelo están, además, dramáticamente religados, causa y efecto, a la vez, uno del otro. Las acciones provocadas por el miedo suscitan la sospecha, la cual provoca nuevas acciones que incrementan el miedo..., etc., en una espiral de creciente intensidad.

La sospecha parece venir de dentro a fuera, como si estuviera agazapada e inmóvil en el fondo de la conciencia, y fuese la circunstancia o elemento exterior a ella tan sólo un resorte que, accidentalmente, pusiera en movimiento lo que estaba ya en estado de latencia, anterior y preexistente al acontecimiento que desencadena la reacción interior y la fuerza a verterse y manifestarse.

Aun antes de que se produzca causa objetiva y suficiente para despertar las sospechas del marido, éstas brotan como una especie de emanación de la conciencia, haciéndonos pensar en una congénita u orgánica disposición al recelo. Del mismo modo que, al final de la espiral trágica, no es necesaria la prueba objetiva de culpabilidad para condenar a muerte y ejecutar al presunto reo, tampoco al principio parece necesaria causa suficiente de sospecha para sospechar.

Desde la conciencia recelosa del marido, cada gesto, cada palabra, cada acción exterior a ella, cada elemento de la realidad, vendrá a significar lo que no es, como si la conciencia individual, en vez de responder a los datos objetivos de la realidad exterior, los hipostasiara, creando a partir de ellos otra realidad, imaginaria, que desplaza a la primera hasta sustituirla, y en la cual se instala y obra el personaje como si fuera ésta la única y verdadera realidad.

Esta especie de transformación «alucinatoria» de la realidad empieza cuando el hombre queda a solas consigo mismo. En el espacio silencioso de la conciencia, comienza el diálogo con ese otro Tú, juez severo y terrible, justo en la intersección del Yo y el Nosotros. Por el honor, el escenario de la conciencia se revela dramáticamente como el lugar de la colisión entre fuerzas conflictivas representativas de dos dimensiones del ser humano: la individual y la social.

En ese primer «monólogo de honor» se produce siempre un corte, salto o ruptura en el discurso interior del héroe. De la esfera personal de los celos o de la razón individual, celos y razón que encarnan las fuerzas oscuras o luminosas del ser humano concreto, de carne y hueso, se pasa, sin transición, a la esfera colectiva del valor social, abstracto, de la persona, materializada verbalmente en ese yo «soy quien soy» y ella «es quien es». Este salto del territorio de la identidad individual al de la identidad social, no sólo invalida la habilidad y la capacidad de la razón para conocer la verdad y entender la realidad, sino que aboca a la sustitución de la realidad misma por una metáfora, siempre la misma —sol (honor, mujer)/nube (mancha)—, de la que interesa subrayar no su contenido semántico, formado por un tópico en el que se predica hasta la saciedad la condición vidriosa del honor en tanto que entidad social, colectiva y abstracta, sino su colocación matemática en esa encrucijada estructural del discurso monológico en que se salta del universo individual al colectivo y abstracto del honor, y la realidad —mujer, hombre, celos, razón, gestos, acciones, palabras— es sustituida por la metáfora, la cual reduce el complejo sistema de las relaciones reales entre individuos a la elemental y mecánica relación de la pareja lingüística «sol»/«nube». A partir de ese momento, clave para el desarrollo global de la acción, en que, reprimidos, rechazados o negados los celos, la razón y la realidad misma son sustituidas por la metáfora —signo verbalizado de un código inapelable—, podemos decir que la suerte está echada para la esposa: sus actos y sus palabras serán percibidos, entendidos y juzgados desde el abstracto y reductor cristal de la metáfora.

Lo que rechaza el héroe, al rechazar los celos y la capacidad analítica de la razón para conocer e interpretar lo real, son las motivaciones individuales, pues el Yo que monologa es, precisamente, el campo de batalla y, a la vez, el lugar de la simbiosis del yo personal y el yo colectivo. En la pugna interior entre ambos, que el monólogo sustancia y revela, y a los que Calderón denomina «pasión de amor» y «pasión de honor», esta última —para seguir el lenguaje del dramaturgo— objetivada, en «ley del mundo», desplaza a la primera y acaba tomando entera posesión de la conciencia. Don Lope de Almeida, Don Gutierre Alfonso y Don Juan Roca, interiormente divididos, llegarán a través de las mismas interrogaciones y de las mismas quejas a idéntica decisión: la esposa debe morir. Lo que el monólogo de honor calderoniano parece estar expresando es esa terrible y fascinante operación de absorción del yo individual por el yo colectivo, del uno por el nosotros, al que llamamos hoy alienación. Es esa operación, ritualizada en un monólogo y en una acción trágica, lo que nuestros dramas de honor estarían poniendo en pie sobre el espacio escénico.

A partir de ese acto de entrega y posesión, de renuncia a la propia conciencia individual, absorbida por la conciencia colectiva, todos los elementos mencionados —miedo, recelo, ocultación, malentendido— llegan a su colmo dramático, y el héroe, desde el último malentendido —un abrazo en *El pintor,* la primera frase inacabada de una carta en *El médico*—, desemboca inexorablemente en la única solución posible: el asesinato de la esposa.

4. El asesinato como solución final

Dados el sistema ideológico y la estructura dramática del mundo en el que los personajes se mueven, y dada la específica percepción de la realidad por parte de la pareja trágica, dentro de ese mundo, así como de las relaciones entre sí y con los otros, percepción fundada desde el arranque hasta el cierre de la acción en la red de circunstancias férreamente encadenadas —azar, recelo, miedo, ocultación, disimulo, malentendido—, el hombre no parece tener otra salida que matar a la mujer, aunque la decisión de matar le cause sufrimiento e, incluso, conectado con el origen (la afrenta), le haga prorrumpir en palabras donde expresa su desesperación y su deseo de autoaniquilamiento.

Aunque los tres asesinatos sean escénicamente distintos, coinciden en idéntico índice de impersonalidad, pues son premeditados a sangre fría en obediencia a unas normas fijas, es decir, fijadas de antemano, aunque no por el héroe, sino por un Todos-y-Nadie, impersonal, que le da al asesinato su carácter también impersonal. Siendo el héroe calderoniano capaz, como Otelo, de sentir con monstruosa intensidad los celos y de expresar el furor asesino y ciego del hombre por ellos poseído, no mata, sin embargo, cegado por la pasión, «en caliente», sino «en frío», después de haberlo calculado todo. Y es en y por la ejecución puntual e impersonal del crimen, en contraste dramático con la explosión de celos o de dolor, crimen cuya técnica —secreta venganza a secreto agravio o pública venganza a público agravio— está rigurosamente fijada en el «infame rito» del honor, en donde las categorías de lo lógico y lo necesario, según el sistema ideológico configurado en mundo dramático, y de lo monstruoso y absurdo, según la conciencia individual, revelan su indisoluble unidad dialéctica. El crimen de honor es, *a la vez,* lógico y absurdo, necesario y monstruoso. He ahí la paradoja trágica última del drama de honor calderoniano.

Los tres dramas terminan con la presencia de los cuerpos de las mujeres, cuya existencia escénica preside físicamente la escena final, a la que, de toda necesidad, y necesidad pura y limpiamente teatral, imponen un *sentido visual* que se añade, alterándolo e impregnándolo, al significado de palabra y acción. Por su nuda presencia escénica, el cuerpo de la mujer ilumina semánticamente la entera atmósfera del final de la tragedia, como una especie de potente foco de luz inmóvil que baña las últimas palabras, acciones, gestos y silencios de los personajes.

Unánimemente los críticos, sin que sea óbice su ideología o su concepción del teatro y de su función social y estética ni el lenguaje o el método crítico empleado, convienen en señalar la aberración, la crueldad, la monstruosidad o la desolación de la última escena, en donde, caliente aún el cadáver de la víctima, nadie levanta la voz para imprecar o lamentar. El héroe piensa haber obrado según las reglas al matar; quien encarna la autoridad y el poder supremo en la comunidad nacional o familiar no acusa ni castiga, mas aprueba y condona. Nadie, ante el cadáver ensangrentado de la heroína, proclama su inocencia. La escena final termina con una sombría apoteosis del crimen, atrapados todos los personajes en el sistema que lo produce.

La lógica inexorable e inescapable de la acción, desarrollada según unas leyes que le son propias, pues se encuentran alojadas en la estructura profunda inventada por el dramaturgo, impone esa escena final, idéntica en las tres tragedias, donde no puede darse, por parte de ninguno de los personajes, la *anagnórisis*. Ésta, en cambio, es de la competencia única del espectador, único testigo integral y conciencia absoluta de las contradicciones entre discurso y acción, realidad y ficción, necesidad y azar, conciencia y código, individuo y sistema, contradicciones que, a su vez, le remiten, como siempre sucede en el teatro, a las contradicciones de su propio espacio histórico.

BIBLIOGRAFÍA SELECTA

Recojo en ella *sólo* estudios sobre Calderón.

Siglas utilizadas:

AION-SR	*Annali dell Istituto Universitario Orientale, Sezione Ramanza.*
Anuario F	*Anuario de Filología.*
BCom.	*Bulletin of the Comediantes.*
BHi	*Bulletin Hispanique.*
BHS	*Bulletin of Hispanic Studies.*
BRAE	*Boletín de la Real Academia Española.*
CHA	*Cuadernos Hispanoamericanos.*
FMLS	*Forum for Modern Language Studies.*
HR	*Hispanic Review.*
JHP	*Journal of Hispanic Philology.*
KR	*Kenyon Review.*
ML	*Modern Language.*
MLN	*Modern Language Notes.*
MLR	*Modern Language Review.*
MR	*Massachusetts Review.*
MundK	*Maske und Koturn.*
PMLA	*Publications of the Modern Language Association of America.*
PhQ	*Philological Quarterly.*
PSA	*Papeles de Son Armadans.*
RABM	*Revista de Archivos, Bibliotecas y Museos.*
RCEH	*Revista Canadiense de Estudios Hispánicos.*
REH	*Revista de Estudios Hispánicos.*
RenD	*Renassance Drama.*
RF	*Romanische Forshungen.*
RFE	*Revista de Filología Española.*
RJ	*Romanistisches Jahrbuch.*

RomN	*Romance Notes.*
RR	*Romanic Review.*
RUBA	*Revista de la Universidad de Buenos Aires.*
SP	*Studies in Philology.*

I. Estudios generales

1. Estudios biográficos

Alonso Cortés, Narciso: «Algunos datos relativos a D. Pedro Calderón de la Barca», *RFE,* II, 1915, pp. 41-51.
— «Genealogía de Calderón», *BRAE,* XXXI, 1951, pp. 299-309.
Cotarelo y Mori, Emilio: *Ensayo sobre la vida y obra de D. Pedro Calderón de la Barca,* Madrid, Tipografía de la Revista de Archivos, 1924.
Juliá Martínez, Eduardo: «Calderón de la Barca en Toledo», *RFE,* XXV, 1941, pp. 182-204.
Pérez Pastor, Cristóbal: *Documentos para la biografía de D. Pedro Calderón de la Barca,* Madrid, Real Academia Española, 1905.
Valbuena Briones, Ángel: «Revisión biográfica de Calderón de la Barca», *Thesaurus,* XXXI, 1976, pp. 413-429.
Wilson, Edward M.: «Textos impresos y apenas utilizados para la biografía de Calderón», *Hispanófila,* IX, 1960, pp. 1-14.

2. Bibliografías

Calderón de la Barca Studies, 1951-69. A critical Survey and Annotated Bibliography, Jack H. Parker and Arthur M. Fox, Toronto, 1971.
Reichenberger, Kurt y Roswitha: *Bibliographisches Handbuch der Calderón-Forschung. Manual Bibliográfico Calderoniano,* Kassel, I, 1979; III, 1981.
Simón Díaz, José: *Bibliografía de la Literatura Hispánica,* VII, Madrid, 1967, pp. 59-317.
Sloman, Albert E.: *The Dramatic Craftsmanship of Calderón. His Use of Earlier Plays,* Oxford, 1958, pp. 309-322.

3. Libros

Ahmed, Uta: *Form and Funktion der «Cuentos» in den Comedias Calderóns,* Berlin/New York, de Gruyter, 1974.
Bandera, Cesáreo: *Mimesis conflictiva. Ficción literaria y violencia en Cervantes y Calderón,* Madrid, Gredos, 1975.
Bauer, Helga: *Der Index Pictorius Calderons: Untersuchungen zu seiner Malermetaphorik,* Hamburg, de Gruyter, 1969.

BODINI, Vittorio: *Segni e simboli nella «Vida es sueño». Dialettica elementale del drama Calderoniano,* Bari, Adriatica Editrice, 1968. Traducción española en *Estudio estructural de la literatura clásica española,* Barcelona, Ediciones Martínez Roca, 1971.

BRYANS, John V.: *Calderón de la Barca: Imagery, Rhetoric and Drama,* London, Tamesis, 1977.

CILVETI, Ángel L.: *El significado de «La vida es sueño»*, Valencia, Albatros, 1971.

— *El demonio en el teatro de Calderón*, Valencia, Albatros, 1977.

CONSTANDSE, A. L.: *Le baroque espagnol et Calderón de la Barca,* Amsterdam, Jacob Van Campen, 1951.

EDWARDS, Gwynne: *The Prison and the Labyrinth. Studies in Calderonian Tragedy,* Cardiff, University of Wales Press, 1978.

FARINELLI, Arturo: *La vita é un sogno,* Torino, Bocca Editori, 1916, 2 vols.

FLASCHE, Hans: *Über Calderón,* Wiesbaden, 1980.

— *Kondordanz zu Calderón,* Hilderheim, New York, Georg Olms Verlag, 1, 1980; 2, 1981; 3, 1982.

FRANZBACH, Martin: *Untersuchungen zum Theater Calderóns in der europäischen Literatur vor der Romantik,* Munich, Wilhelm Fink Verlag, 1974.

FRIEDRICH, H.: *Der Fremde Calderón,* Freiburg, 1966.

FRUTOS CORTÉS, Eugenio: *La filosofía de Calderón en sus autos sacramentales,* Zaragoza, Institución Fernando el Católico, CSIC, 1952.

GERSTINGER, Heinz: *Pedro Calderón de la Barca,* New York, Frederick Ungar Publishing Co., 1973.

HESSE, Everett W.: *Calderón de la Barca,* New York, Twayne, 1967.

HILBORN, Harry W.: *A Chronology of the Plays of D. Pedro Calderón de la Barca,* Toronto, The University of Toronto Press, 1938.

HONIG, Edwin: *Calderón and the Seizure of Honor,* Cambridge, Mass., 1972.

KAUFMANN, Brigitte: *Die «Comedia» Calderóns. Studien zur Interdependez von Autor, Publikunm and Bühne,* Frankfort/Munich, 1976.

KELLENBERGER, Jakob: *Calderón de la Barca und das Komische unter besonderer Berücksichtigung der ernsten Schauspiele,* Bern/Frankfort, 1975.

KOMMERELL, Max: *Die Kunst Calderóns,* Frankfort, Klostermann, 1974 [2].

MARANISS, James: *On Calderón,* Columbia, University of Missouri, 1978.

MARCOS VILLANUEVA, Balbino: *La ascética de los jesuitas en los autos sacramentales de Calderón,* Bilbao, Universidad de Deusto, 1973.

MENÉNDEZ PELAYO, Marcelino: *Calderón y su teatro,* Madrid, 1881.

MUJICA, Barbara Louise: *Calderón's Characters: Existential Point of View,* Barcelona, Puvill, 1981.

NEUMEISTER, Sebastian: *Mythos und Repräsentation,* Munich, Wilhelm Fink Verlag, 1978.

OCHSE, H.: *Studien zur Metaphorik Calderón,* Munich, Wilhelm Fink Verlag, 1967.
OLMEDO GARCÍA, Félix: *Las fuentes de «La vida es sueño»*, Madrid, Editorial Voluntad, 1928.
PAILLER, Claire: *La question d'amour dans les comedias de Calderón de la Barca,* Paris, 1974.
PALACIOS, Leopoldo E.: *Don Quijote y «La vida es sueño»*, Madrid, Rialp, 1960.
PARKER, Alexander E.: *The Allegorical Drama of Calderón. An Introduction to the Autos Sacramentales,* Oxford, 1943.
PICATOSTE, Felipe: *Calderón ante la ciencia. Concepto de la naturaleza y de sus leyes, deducido de sus obras,* Madrid, 1881.
RODRÍGUEZ LÓPEZ-VÁZQUEZ, Alfredo: *Tres estudios sobre Calderón,* Université de Haute Bretagne, 1978.
RUBIÓ y LLUCH, A.: *Memoria sobre el sentimiento del honor en el teatro de Calderón,* Barcelona, 1882.
SAUVAGE, Micheline: *Calderón,* Paris, L'Arche, 1959.
SLOMAN, Albert E.: *The Dramatic Craftmanship of Calderón. His Use of Earlier Plays,* Oxford, The Dolphin Co., 1958.
TEJADA, Amelia: *Untershuchungen zum Humor in den Comedias Calderóns,* Berlin/New York, de Gruyter, 1974.
TER HORST, Robert: *Calderón The Secular Plays,* The University Press of Kentucky, 1982.
TYLER, Richard W., y ELIZONDO, Sergio D.: *The Characters, Plots and Settings of Calderón's Comedias,* Lincoln, University of Nebraska, 1981.
VALBUENA BRIONES, Ángel: *Perspectiva crítica de los dramas de Calderón,* Madrid, Rialp, 1965.
— *Calderón y la Comedia Nueva,* Madrid, Espasa-Calpe (Austral), 1977.
VITSE, Marc: *Segismundo et Serafina,* Toulouse, Université de Toulouse-Le Mirail, 1980.
WILSON, Edward M., y SAGE, Jack: *Poesías líricas en las obras de Calderón: citas y glosas,* London, Tamesis, 1962.
— y CRUICKSHANK, Don W.: *The Textual Criticism of Calderón's Comedias,* en Pedro Calderón de la Barca, *Comedias,* vol. 1, London, Gregg/Tamesis, 1973.

4. LIBROS COLECTIVOS

ARMAS, Frederick de, GITLITZ, *David* M., y MADRIGAL, José A., Editores: *Critical Perspectives on Calderón de la Barca,* Society of Spanish and Spanish American Studies, 1981.
DURÁN, Manuel, y GONZÁLEZ-ECHEVERRÍA, R., Editores: *Calderón y la crítica: historia y antología,* Madrid, Gredos, 1976, 2 vols.
FLASCHE, Hans, Ed.: *Calderón de la Barca,* Darmstadt, 1971.

— *Hacia Calderón. Coloquio Anglogermano* [Exeter, 1969], Berlin, 1970.
— *Hacia Calderón. Segundo Coloquio Anglogermano* [Hamburg, 1970], Berlin/New York, 1973.
— *Hacia Calderón. Tercer Coloquio Anglogermano* [London, 1973], Berlin, 1976.
— *Hacia Calderón. Cuarto Coloquio Anglogermano* [Wolfenbuttel, 1975], Berlin/New York, 1979.
McGAHA, Michael, Ed.: *Approaches to the Theater of Calderón,* Washington, D. C., University Press of America, 1982.
MONLEÓN, José, Ed.: *III Jornadas de Teatro Clásico Español* [Almagro, 1980], Madrid, Ministerio de Cultura, 1981.
VAREY, John E., Ed.: *Critical Studies of Calderón's Comedias;* en Pedro de la Barca, *Comedias,* XIII, London, Gregg/Tamesis, 1973.
WARDROPPER, Bruce W., Ed.: *Critical Essays on the Theatre of Calderón,* New York, 1965 [2].

5. ARTÍCULOS

ALCALÁ-ZAMORA Y QUEIPO DE LLANO, José: «El Siglo de Calderón», *Historia 16,* VI, 1981, pp. 44-52.
ALSINA, José: «Aristóteles y la poética del Barroco», *Anuario F,* II, 1976, páginas 9-23.
BERENS, Peter: «Calderons Schicksaltragödien», *RF,* XXXIX, 1962, pp. 1-66.
CILVETI, Ángel L.: «Silogismo, correlación e imagen poética en el teatro de Calderón», *RF,* LXXX, 1968, pp. 459-497.
CIORANESCU, Alejandro: «Calderón y el teatro clásico francés», *Estudios de literatura española y comparada,* La Laguna, 1954, pp. 137-195.
CHAPMAN, W. C.: «Las comedias mitológicas de Calderón», *RL,* V, 1954, páginas 35-67.
ENTWISTLE, William J.: «Calderón et le théâtre symbolique», *BHi,* LII, 1959, pp. 41-54.
FISCHER, Susan L.: «The Art of Role-Change in Calderonian Drama», *BCom.,* XXVII, 1975, pp. 73-79.
FLASCHER, Hans: «La Lengua de Calderón», *Actas del Quinto Congreso Internacional de Hispanistas* [Bordeaux, 1974], Universidad de Bordeaux III, 1977, pp. 19-48.
FRUTOS CORTÉS, Eugenio: «La filosofía del Barroco y el pensamiento de Calderón», *RUBA,* IX, 1951, pp. 173-230.
GATES, Eunice J.: «Proverbs in the Plays of Calderón», *RR,* XXXVIII, 1947, pp. 203-215.
GÜNTERT, Georges: «El gracioso en Calderón: Disparate e ingenio», *CHA,* 1977, 324, pp. 440-453.
HESSE, Everet W.: «The Publication of Calderón's Plays in the Seventeenth Century», *PhQ,* XXVII, 1948, pp. 37-51.

— «La dialéctica y el casuismo en Calderón», *Estudios,* IX, 1953, pp. 517-531.

HINTERHAUSER, Hans: «Sternenglaube und freier Wille bei Calderón», *MundK,* XXIV, 1978, pp. 306-316.

HOWE, Elizabeth Teresa: «Fate and Providence in Calderón de la Barca», *BCom.,* XXIX, 1977, pp. 103-117.

JARRET-KERR, Martin: «Calderón and the Imperialism of Belief», *Studies in Literature and Belief,* London, Rackliff, 1954, pp. 38-63.

KNORST, Judith Irene: «Calderón, Nietzsche and the Dionysian Concept», *BCom.,* XXVIII, 1976, pp. 32-42.

LÓPEZ-VÁZQUEZ, Alfredo R.: «La significación política del incesto en el teatro de Calderón», *Les Mentalités dans la Peninsule Ibérique et en Amerique Latine aux XVI et XVIIe siécles: Histoire et Problematique* [Toors, 1977], Université de Tours, 1978.

— «Lo sagrado frente a lo político: el incesto y los atributos de justicia», *CHA,* 357, 1980, pp. 657-670.

LORENZ, Erika: «Calderón und die Astrologie», *RJ,* XII, 1961, pp. 265-277.

MEREGALLI, Franco: «Nuove Tendenze della crítica calderoniana», *AION-SR,* XX, 1977, pp. 159-180.

OPPENHEIMER, M.: «The Baroque Impasse in the Calderonian Drama», *PMLA,* LXV, 1950, pp. 1146-1165.

OOSTENDORF, H. T.: «La relación entre padre e hijo en algunas comedias de Calderón», *Actas del primer Symposium Internacional del Departamento de la Universidad de Groningen,* Groningen, 1980, pp. 9-24.

— «Evaluación de algunas teorías en torno a las tragedias de Calderón», en *Las constantes estéticas de la «comedia» en el Siglo de Oro. Diálogos hispánicos de Amsterdam,* núm. 2, Amsterdam, 1981, pp. 65-76.

PAILLER, Claire: «El Gracioso y los 'guiños' de Calderón: apuntes sobre 'autoburla' e ironía crítica», *Risa y sociedad en el Teatro español del Siglo de Oro. Actes du 3e Colloque du Groupe d'Etudes Sur le Théâtre Espagnol* [Toulouse, 1980], Paris, CNRS, 1980, pp. 33-48.

PARKER, Alexander A.: «Towards a Definition of Calderonian Tragedy», *BHS,* XXIX, 1962, pp. 222-237.

— «Metáfora y símbolo en la interpretación de Calderón», *Actas del primer congreso internacional de hispanistas,* Oxford, 1964, pp. 141-160.

— «The father-son conflict in the drama of Calderón», *Forum for Modern Languages Studies,* II, 1966, 1966, pp. 99-113.

RODRÍGUEZ, Evangelina, y TORDERA, Antonio: «Entremés y cultura en Calderón», *Historia,* V, 1981, pp. 58-64.

ROZAS, Juan Manuel: «Sobre la técnica del actor barroco», *Teatro Clásico Español. Problemas de una lectura actual,* II Jornadas de Teatro Clásico Español [Almagro, 1979], ed. F. Ruiz Ramón, Madrid, Ministerio de Cultura, 1980

RULL, Enrique: «Calderón y la síntesis de las artes», *Historia,* V, 1981, páginas 65-71.

SHERGOLD, N. D.: «Calderón and Vera Tassis», *HR,* XXIII, 1955, pp. 212-218.

— y VAREY, J. E.: «Some Early Calderón Dates», *BHS,* XXXVIII, 1961, páginas 274-286.

SULLIVAN, Henry W., y RAGLAND-SULLIVAN, Ellie: «*Las tres justicias en una* of Calderón and the Question of Christian Catharsis», *Critical Perspectives on Calderón de la Barca, ed. cit.,* pp. 119-140.

TER HORST, Robert: «From Comedy to Tragedy: Calderón and the New Tragedy», *MLN,* XCII, 1977, pp. 181-201.

THOMAS, Lucien-Paul: «Les jeux de scéne et l'architecture des idées dans le théâtre de Calderón», *Homenaje a Menéndez Pidal,* II, 1925, pp. 501-530.

WARDROPPER, Bruce W.: «La imaginación en el metateatro calderoniano», *Actas del Tercer Congreso Internacional de Hispanistas, 1968,* ed. Carlos Magis, México, 1970, pp. 923-930.

WILSON, Edward M.: «Calderón and the Stage-Censor. A Provisional Study», *Symposium,* XV, 1963, pp. 165-184.

— «La poesía dramática de don Pedro Calderón de la Barca», *Litterae hispanae et lusitanae,* ed. Hans Flasche, Munich, 1968, pp. 487-500.

II. Estudios sobre las tragedias analizadas

1. EL MAYOR MONSTRUO DEL MUNDO

BLUE, William R.: «Las imágenes en *El mayor monstruo del mundo* de Calderón de la Barca», *Hispania,* LXI, 1978, pp. 888-893.

CHANG-RODRÍGUEZ, Raquel, y JEAN MARTIN, Eleanor: «Tema e imágenes en *El mayor monstruo del mundo*», *MLN,* XC, 1975, pp. 278-282.

— «Función temática de la historia de Antonio y Cleopatra en *El mayor monstruo del mundo*», *PSA,* XXI, 1976, pp. 41-46.

EDWARDS, Gwynne: «El papel del carácter y la circustancia en *El mayor monstruo del mundo*», *Hacia Calderón. Tercer Coloquio Anglogermano,* ed. cit., pp. 20-31.

FRIEDMAN, Edward H.: «Dramatic Perspective in Calderón's *El mayor monstruo los celos*», *BCom.,* XXVI, 1974, pp. 43-49.

HESSE, Everett W.: «Obsesiones en *El mayor monstruo, los celos* de Calderón», *Estudios,* VIII, 1952, pp. 395-409.

— «El arte calderoniano en *El mayor monstruo, los celos*», *Clavileño,* VII, 1956, núm. 38, pp. 18-30.

PARKER, Alexander A.: «Prediction and The Dramatic Function in *El mayor monstruo del mundo*», *Studies in Spanish Literature of the Golden Age Presented to Edward M. Wilson,* ed. R. O. Jones, London, 1973, pp. 3-23.

RUANO DE LA HAZA, J. M.: «The Meaning of the Plot of Calderón's *El mayor monstruo del mundo*», *BHS,* LVIII, 1981, pp. 229-240.
SABIN, Eleonora R.: «The Identities of the Monster in Calderón's *El mayor monstruo del mundo*», *Hispania,* LVI, 1973, pp. 264-275.

2. LOS CABELLOS DE ABSALÓN

DIXON, Víctor: «El Santo rey David y *Los cabellos de Absalón*», *Hacia Calderón. Tercer Coloquio Anglogermano, ed. cit.,* pp. 84-98.
EDWARDS, Gwynne: «Calderón's *Los cabellos de Absalón:* A Reappraisal», *BHS,* XLVIII, 1971, pp. 218-238.
— «Sobre la trasmisión del texto de *Los cabellos de Absalón de Calderón*», *RABM,* LXXVI, 1973, pp. 109-120.
FISCHER, Susan L.: «Calderón's *Los cabellos de Absalón:* A Metatheater of Unbrided Passion», *BCom.,* XXVIII, 1976, pp. 103-113.
GIACOMAN, Helmy F.: «El rey David en *Los cabellos de Absalón* de Calderón», *BCom.,* XXIII, 1970, pp. 39-43.
GORDON, M.: «Calderón's *Los cabellos de Absalón:* The Tragedy of a Christian King», *Neophilogus,* LXIV, 1980, pp. 390-401.
HOLZINGER, Walter: «Imaginistic Patterns and Techniques in Calderón's *Los cabellos de Absalón* and its Indebtedness to Tirso's *Venganza de Tamar*», *Neophilologus,* LXII, 1978, pp. 233-247.
MAYBERRY, Nancy K.: «More on the Role of David in Calderón's *Los cabellos de Absalón*», *REH,* XIV, I, 1980, pp. 43-50.
RUIZ RAMÓN, F.: «En torno al sentido trágico de *Los cabellos de Absalón,* de Calderón», *Segismundo,* XI, 1-2, 1977, pp. 155-170.

3. LA CISMA DE INGLATERRA

BACIGALUPO, Mario R.: «Calderón's *La cisma de Inglaterra.* Spanish 17th Century Political Thought», *Symposium,* XXVIII, 1976, pp. 212-227.
BIRKHEAD, H.: «The Schism of England: Calderón's Play and Shakespeare's», *ML,* X, 1928, pp. 36-44.
CABANTOUS, M.: «Le schisme d'Anglaterre vu par Calderón», *Les Langues Neo-latines,* LXII, 1968, pp. 43-58.
FISCHER, Susan L.: «Reader-Response Criticism and the *Comedia:* Creation of Meaning in Calderón's *La cisma de Inglaterra*», *BCom.,* XXXI, 1979, páginas 109-125.
HERBOLD, Anthony: «Shakespeare, Calderón and Henry the Eight», *East-West Review,* II, 1965, pp. 17-32.
LAURIA, Donatella: *La poetica di Calderón de la Barca ne «La cisma de Inglaterra»*, Catania, Bonanno Editore, 1976.
PARKER, Alexander, A.: «Henry VIII in Shakespeare and Calderón. An

appreciation of *La cisma de Inglaterra*», *MLR,* XLIII, 1948, pp. 327-352. Reimpreso en Pedro Calderón de la Barca. *Comedias,* ob. cit., pp. 47-83.

PFANDL, Ludwig: «Ausdrucksformen des archaischen Denkens und des Unbewussten bei Calderón», *Gesammelte Aufsätre zur Kulturgeschichte Spaniens,* ed. H. Finke, VI, 1937, pp. 340-389.

RUIZ RAMÓN, Francisco: «Funciones dramáticas del Hado en *La cisma de Inglaterra*», *Approaches to the Theater of Calderón,* ed. cit., pp. 119-128.

SCHÜK, M.: «Hat Calderón Shakespeare gekannt? Die Quelle von Calderons *La cisma de Inglaterra*», *Deutsche Shakespeare Gesellschaft,* LXI, 1925, páginas 94-107.

SHIVERS, Georg R.: «La unidad dramática en *La cisma de Inglaterra* de Pedro Calderón de la Barca», en *Perspectivas de la Comedia,* Estudios de Hispanófila, 1978, pp. 133-143.

WURZBACH, Wolfgang von: «Shakespeares *Heinrich VIII* und Calderons *La cismo de Inglaterra*», *Jahzbuch der deutschen Shakespeare-Gesellschaft,* XXXII, 1896, pp. 190-211.

4. TRAGEDIA DE HONOR

BANDERA, Cesáreo: «Historias de amor y dramas de honor», *Approaches to the Theater of Calderón,* ob. cit., pp. 53-63.

BLUE, William R.: «¿Qué es esto que miro? 'Converging Sign Systems in *El médico de su honra*», BCom., XXX, 1978, pp. 83-96.

— «La cédula en la puerta: El cuento de Coquín», *RomN,* XX, 1979, páginas 242-247.

BRYANS, John: «System and Structure in Calderón's *El médico de su honra*», *RCEH,* V, 1981, pp. 271-291.

CASA, Frank P.: «Crime and Responsibility in *El médico de su honra*», *Homenaje a William L. Fichter: Estudios sobre el teatro antiguo español y otros ensayos,* ed. David Kossof y José Amor y Vázquez, Madrid, Castalia, 1971, pp. 127-137.

— «Honor and the Wife-Killers of Calderón», *BCom.,* XXIX, 1977, páginas 6-23.

CASALDUERO, Joaquín: «Sentido y forma de las tragedias calderonianas de belleza y honor», *CHA,* 372, 1981, pp. 489-502.

CASTRO, Américo: «Algunas observaciones acerca del concepto del honor en los siglos XVI y XVII», *Semblanzas y estudios españoles,* Princeton, N. Y., 1956, pp. 319-383.

COLAHAN, Clark: «Art and Imagination in Calderón's *El pintor de su deshonra*», *BCom.,* XXXIII, 1981, pp. 73-80.

CRUICKSHANK, Don W.: «Calderón's King Pedro: Just or Unjust?», *Spanische Forschungen der Görresgesellschaft,* XXV, 1970, pp. 113-132.

— «Pongo mi mano en sangre bañada a la puerta: Adultery in *El médico de su honra*», *Studies in Spanish Literature of the Golden Age. Presented to Edward M. Wilson,* London, Tamesis, 1973, pp. 45-62.

DUNN, Peter N.: «Honour and the Christian Background in Calderón», *BHS,* XXXVII, 1960, pp. 75-105. En Wardropper, ed., ob. cit., pp. 24-60.

EDWARDS, Gwynne: «*El médico de su honra:* La cárcel del honor», en *Hacia Calderón.* Cuarto Coloquio Anglogermano, ob. cit., pp. 7-16.

EXUM, Frances: «¿Yo a un vasallo...? Prince Henry's Role in Calderón's *El médico de su honra*», *BCom.,* XXIX, 1977, pp. 1-6.

FISCHER, Susan L.: «The function and significance of the *gracioso* in Calderón's *El pintor de su deshonra*», *RN,* XIV, 1972, pp. 334-340.

— «Art-Within-Art: The Significance of the Hercules Painting in *El pintor de su deshonra*», *Critical Perspectives in Calderón de la Barca,* ed. cit., páginas 69-79.

GOLDEN, Bruce: «Calderón's Tragedies of Honor: *Topoi,* Emblem and Action in the Popular Theater of the Siglo de Oro», *RenD,* III, 1970, pp. 239-262.

HEIPLE, Daniel L.: «Gutierre's Witty Diagnosis in *El médico de su honra*», *Critical Perspectives in Calderón de la Barca,* ed. cit., pp. 81-90.

HESSE, Everett W.: «Gutierre's Personality in *El médico de su honra*», *BCom.,* XXVIII, 1976, pp. 11-16.

— «Honor and Behavioral Patterns in *El médico de su honra*», *RF,* LXXXVIII, 1976, pp. 1-15.

— «A Psychological Approach to *El médico de su honra, RJ,* XXVIII, 1977, pp. 326-340.

HOLZINGER, Walter: «Ideology, Imagery and the Literalization of Metaphore in *A secreto agravio, secreta venganza*», *BHS,* LIV, 1977, pp. 203-214.

HONIG, Edwin: «Calderón's Strange Mercy Play», *MR,* III, 1961, pp. 80-107.

— «The Seizures of Honor in Calderón», *KR,* XXIII, 1961, pp. 426-447.

JONES, C. A.: «Honor in Spanish Golden Age Drama: Its Relation to Real Life and to Morals», *BHS,* XXXV, 1958, pp. 199-210.

— «Spanish Honour as Historical Phenomena, Convention and Artistic Motiv», *HR,* XXXIII, 1965, pp. 37-39.

KING, Lloyd: «The Role of King Pedro in Calderón's *El médico de su honra*», *BCom.,* XXIII, 1970, pp. 44-49.

KIRBY, Carol B.: «Theater and History in Calderón's *El médico de su honra*», *JHP,* V, 1981, pp. 123-135.

KOSSOF, A. David: «*El médico de su honra* and *La amiga de Bernal Francés*», *HR,* XXIV, 1956, pp. 66-70.

MACCURDY, Raymond R.: «A critical Review of *El médico de su honra* as Tragedy», *BCom.,* XXXI, 1979, pp. 3-14.

MAY, T. E.: «The Folly and Wit of Secret Vengeance: Calderón's *A Secreto agravio, secreta venganza*», *FMLS,* II, 1966, pp. 114-122.

NEUSCHÄFER, Hans-Jörg: «El triste drama de honor: Formas de crítica ideológica en el teatro de honor de Calderón», *Hacia Calderón, Segundo Coloquio Anglogermano*, ob. cit., pp. 89-108.

O'Connor, Thomas A.: «The Interplay of Prudence and Imprudence in *El médico de su honra*», *RJ*, XXIV, 1973, pp. 303-322.

Oostendorp, H. T.: «El sentido del tema de la honra matrimonial en las tragedias de honor», *Neophilologus*, LIII, 1969, pp. 14-29.

Parker, Alexander A.: «*El médico de su honra* as Tragedy», *Hispanófila especial*, núm. 2, 1975, pp. 3-23.

Parker, Jack H.: «Tragedy (Illustrated by *El médico de su honra)* and Comedy (Illustrated by *El lindo don Diego)* in Seventeenth Century Spain», *Hispanófila especial*, núm. 1, 1974, pp. 29-35.

Paterson, Alan K. G.: «The Comic and Tragic Melancholy of Juan Roca: A study of Calderón's *El pintor de su deshonra*», *FMLS*, V, 1969, páginas 244-261.

— «Juan Roca's Northern Ancestry: A study of Art Theory in Calderón's *El pintor de su deshonra*», *FMLS*, VII, 1970, pp. 195-210.

— «The Alchemical Marriage in Calderón's *El médico de su honra*», *RJ*, XXX, 1979, pp. 263-282.

Podol, Peter: «Non-Conventional Treatment of the Honor Theme in the Theatre of the Golden Age», *REH*, VII, 1973, pp. 449-463.

Rogers, Daniel: «Tienen los celos pasos de ladrones: Silence in Calderón's *El médico de su honra*», *HR*, XXXIII, 1965, pp. 273-289.

Ruiz Silva, J. C., y Alvarado, Lucinia: «Calderón-Shakespeare: Sobre el honor y los celos», *Arbor*, 286, 1978, pp. 19-35.

Serrano García, Virtudes: «La función de la mujer en la estructura de tres dramas de honor del siglo xvii», *Estudios literarios dedicados al profesor Mariano Baquero Goyanes*, Murcia, 1974.

Slonne, Robert: «Diversion in Calderón's *El pintor de su deshonra*», *MLN*, XCI, 1976, pp 247-263.

— «On Juanete's Final Story in *El pintor de su deshonra*», *BCom.*, XXVIII, 1976, pp. 100-103.

Soons, Alan: «The Convergence of Doctrine and Symbol in *El médico de su honra*, *RF*, LXXII, 1960, pp. 370-380.

— «El problema de los juicios estéticos en Calderón: *El pintor de su deshonra*», *RF*, LXXVI, 1964, pp. 155-162.

Sullivan, Henry W.: «The Problematic of Tragedy in Calderón's *El médico de su honra*», *RCEH*, V, 1981, pp. 355-372.

Thiher, Roberta J.: «The Final Ambiguity of *El médico de su honra*», *SP*, LXVII, 1970, pp. 237-244.

Valentine, Robert Y.: «The Rhetoric of Therapeutic Symbolism in Calderón's *El médico de su honra*», *BCom.*, XXXII, 1980, pp. 34-48.

Wardropper, Bruce W.: «The Unconcious Mind in Calderón's *El pintor de su deshonra*», *HR*, XVIII, 1950, pp. 285-301.

— «Poetry and Drama in Calderón's *El médico de su honra*», *RR,* XLIX, 1958, pp. 3-11.
— «The Wife-Murder Plays in Retrospect», *RCEH,* V, 1981, pp. 385-411.
WATSON, A. Irvine: «*El pintor de su deshonra* and the Neo-Aristotelian Theory of Tragedy», *BHS,* XL, 1963, pp. 17-34, en Wardropper, ed., ob. cit., pp. 203-223.
— «Peter the cruel or Peter the Just? A Reappraisal of the Role Played by King Peter in Calderón's *El médico de su honra*», *RJ,* XIV, 1963, páginas 322-346.
WILSON, Edward M.: «La discreción de don Lope de Almeida», *Clavileño,* II, 1951, núm. 9, pp. 1-10.
— «Notes on the Text of *A secreto agravio, secreta venganza*», *BHS,* XXXV, 1958, pp. 72-82.

TÍTULOS PUBLICADOS

COLECCIÓN CLÁSICOS

Núm. 1
Miguel Hernández
Perito en lunas.
El rayo que no cesa
Edición, estudio y notas:
Agustín Sánchez Vidal

Núm. 2
Juan de Mena
Laberinto de Fortuna
Edición, estudio y notas:
Louise Vasvari Fainberg

Núm. 3
Juan del Encina
Teatro
(Segunda producción dramática)
Edición, estudio y notas:
Rosalie Gimeno

Núm. 4
Juan Valera
Pepita Jiménez
Edición, estudio y notas:
Luciano García Lorenzo

Núm. 5
Alejandro Sawa
Iluminaciones en la sombra
Edición, estudio y notas:
Iris M. Zavala

Núm. 6
José M.ª de Pereda
Sotileza
Edición, estudio y notas:
Enrique Miralles

Núms. 7 y 8
Pero López de Ayala
Libro rimado del Palaçio
Edición, estudio y notas:
Jacques Joset

Núm. 9
Antonio García Gutiérrez
El Trovador.
Los hijos del tío Tronera
Edición, estudio y notas:
Jean-Louis Picoche y
colaboradores

Núm. 10
Juan Meléndez Valdés
Poesías
Edición, estudio y notas:
Emilio Palacios

Núms. 11 y 12
Miguel de Cervantes
Don Quijote de la Mancha
Edición, estudio y notas:
Juan Bautista Avalle-Arce

Núm. 13
León Felipe
Versos y oraciones de caminante (I y II). Drop a Star
Edición, estudio y notas:
José Paulino Ayuso

Núm. 14
Juan de Mena
Obra lírica
Edición, estudio y notas:
Miguel Angel Pérez Priego

Núm. 15
San Juan de la Cruz
Cántico espiritual. Poesías
Edición, estudio y notas:
Cristóbal Cuevas García

Núm. 16
Juan Eugenio Hartzenbusch
Los amantes de Teruel
Edición, estudio y notas:
Jean-Louis Picoche

Núm. 17

Pedro Calderón de la Barca

La vida es sueño

Edición, estudio y notas:
Enrique Rull

Núm. 18

Pedro Calderón de la Barca

El Gran Teatro del Mundo

Edición, estudio y notas:
Domingo Ynduráin

Núm. 19

Lope de Vega

El caballero de Olmedo

Edición, estudio y notas:
Maria Grazia Profeti

Núm. 20

Poesía española contemporánea

Selección, estudio y notas:
Fanny Rubio y José Luis Falcó

Núm. 21

Don Juan Manuel

Libro del Conde Lucanor

Edición, estudio y notas:
Reinaldo Ayerbe Chaux

Núm. 22

Romancero

Edición, estudio y notas:
Michelle Débax

Núm. 23

Tirso de Molina

El Burlador de Sevilla y convidado de piedra

Edición, estudio y notas:
Xavier A. Fernández

Núm. 24

Mariano José de Larra

Artículos sociales, políticos y de crítica literaria

Edición, estudio y notas:
Juan Cano Ballesta

Núm. 25

Marqués de Santillana

Poesías completas, I

Edición, estudio y notas:
Miguel Ángel Pérez Priego

Núm. 26

Jorge Manrique

Cancionero

Edición, estudio y notas:
Antonio Serrano de Haro

COLECCIÓN ESTUDIOS